Une nouvelle identité pour une nouvelle vie

Neil T. Anderson

Une nouvelle
identité
pour une
nouvelle vie

BLF Europe · Rue de Maubeuge
59164 Marpent · France

BLF Europe • Rue de Maubeuge
59164 Marpent • France
www.blfeurope.com

Une nouvelle identité pour une nouvelle vie

Copyright © 1993, 1999, 2009
BLF Europe • www.blfeurope.com
Rue de Maubeuge • 59164 Marpent • France
Tous droits de traduction, de reproduction et d'adaptation réservés.

L'édition originale a paru en anglais sous le titre :
Victory over the Darkness
Copyright © 1990 Regal Books, Ventura, California, USA.

Citations bibliques extraites de :
La Bible du Semeur Copyright © 1992,
Société Biblique Internationale. Avec permission.
La Nouvelle Version Second Révisée (dite à la *Colombe*)
Copyright © 1978, Société Biblique Française.

Certains noms ont été modifiés pour préserver l'anonymat des
personnes concernées.

Impression n° 92532 • IMEAF • 26160 La Bégude de Mazenc
ISBN 978-2-910246-67-9
Dépôt légal 3e trimestre 2011

Index Dewey (CDD) : 253.5
Mots-clés : Discipline. Relation d'aide. Vie chrétienne. Psychologie.

À mon épouse, Joanne, ma fidèle compagne, mon soutien, mon amie, celle que j'aime et qui m'accompagne tout au long du cheminement nécessaire pour faire de moi celui que Dieu veut que je sois.

Et à mes enfants, Heidi et Karl, qui subissent les désavantages d'être enfants de pasteur. Vous êtes les meilleurs et je vous remercie d'avoir partagé de nombreuses années difficiles avec moi. Vous n'avez pas choisi d'avoir un père dans le ministère, mais je ne vous ai jamais entendu vous plaindre. Merci d'être des enfants formidables.

Je vous aime, après Dieu.

Remerciements

Jusqu'à récemment, je réservais la rédaction d'un livre à ma retraite. J'aime le ministère et les contacts personnels dans l'enseignement et la relation d'aide. Ainsi, quand j'ai participé à une conférence pour écrivains à l'Université de Biola en prévision de ma première année sabbatique, j'étais probablement le seul participant qui n'avait pas l'intention d'écrire un livre. Lors de cette conférence, j'ai appris à quel point il est difficile de faire lire son manuscrit par un éditeur et, à plus forte raison, de le faire publier. L'idée de me retirer du ministère pendant plusieurs mois pour écrire un livre qui ne serait probablement jamais lu me révoltait ! De plus, je n'étais même pas sûr que Dieu voulait que je m'y consacre.

Vous pouvez donc imaginer à quel point je suis reconnaissant à l'éditeur d'avoir pris l'initiative de me contacter et ensuite de me mettre en relation avec Ed Stewart pour m'assister dans la rédaction de ce livre. Ensemble, ils ont fait de cette tâche une expérience agréable et ils m'ont assuré que Dieu voulait que cette information soit imprimée. Ed, j'ai apprécié le travail avec toi plus que les mots ne pourraient le dire.

Carolina Cranford, quelle gentillesse d'avoir volontairement tapé ce manuscrit. Merci.

Je remercie l'excellent corps professoral de la faculté de théologie Talbot à l'université de Biola, où j'ai le privilège d'enseigner depuis plus de sept ans. Mes remerciements tout particuliers au Dr Robert Saucy, mon mentor, mon ami et mon théologien préféré. Bob, tu ne peux pas t'imaginer à quel point j'ai de l'estime pour ton esprit critique et ta disponibilité à lire ce que j'ai produit.

Merci à Mick Boersma et Gary McIntosh, mes collègues du département de théologie pratique. Votre amitié m'est précieuse et j'aime partager ce ministère avec vous. Vos encouragements n'ont pas de prix.

Je remercie également les nombreux étudiants à Talbot qui me stimulent à rester fidèle à la Parole de Dieu et qui me permettent de partager ma vie avec eux.

Toutefois, rien de tout ceci ne serait possible sans mes parents, Marvin et Bertha Anderson. Merci pour l'héritage physique que vous m'avez légué et qui m'a permis plus facilement d'accéder à mon héritage spirituel. Des milliers d'illustrations dans mes messages proviennent de ces années d'enfance passées dans notre ferme du Minnesota. Merci de m'avoir fidèlement emmené à l'église et pour l'atmosphère saine dans laquelle j'ai été élevé.

J'ai eu le privilège de voir des milliers de personnes découvrir leur identité en Christ et vivre une vie victorieuse. L'idée que bien d'autres puissent être aidés par la page imprimée me bouleverse, et je suis reconnaissant à tous ceux qui l'ont rendu possible.

INTRODUCTION

Prête-moi ton espoir

Il y a plusieurs années, lors de mon premier pastorat, je m'étais engagé à suivre un jeune homme de mon église. C'était la première fois que j'entreprenais de m'investir dans la vie de quelqu'un. Robert et moi avions décidé de nous rencontrer tôt tous les jeudis matin pour que je partage avec lui une étude biblique sur le thème de l'amour. Nous nourrissions tous deux de grands espoirs : Robert se réjouissait à l'idée de faire de grands pas dans sa croissance chrétienne, et j'étais avide de l'aider à devenir un chrétien mûr.

Six mois plus tard, nous pataugions encore dans la même étude biblique sur l'amour. Nous n'aboutissions nulle part. Pour une raison quelconque notre relation du genre « Paul et Timothée » ne marchait pas. Robert ne semblait pas grandir dans sa vie chrétienne. Je me sentais abattu et responsable de sa défaite, sans pour autant savoir comment y remédier. Notre désir de voir Robert progresser rapidement vers la maturité s'était lentement éteint. Nous avions alors mis un terme à nos rencontres.

Deux ans plus tard, alors que je travaillais dans une autre église, Robert vint me voir. C'est là qu'enfin il me raconta tout ce qu'il avait vécu en parallèle de notre brève relation « un à un ». Cette partie de sa vie était restée secrète et je ne l'avais même pas soupçonnée. Robert était profondément empêtré dans le péché et il n'avait pas voulu partager ses luttes avec moi. J'avais remarqué qu'il n'était pas libre, mais je n'avais eu aucun indice sur la raison de ce blocage.

À l'époque, j'avais peu d'expérience avec des personnes sous l'esclavage du péché et j'avais décidé de poursuivre péniblement. Je pensais que le problème principal était simplement son absence de motivation. Maintenant, je suis convaincu que mes tentatives de formation avec Robert ont échoué pour une autre raison. J'avais essayé de le faire progresser sans discerner son point de départ. J'avais essayé de l'aider à croire en ses possibilités sans le comprendre et l'accepter tel qu'il était. J'ai commencé à me rendre compte que l'accompagnement d'un chrétien vers la maturité et la liberté en Christ ne se limite pas à une étude biblique bien structurée, en dix étapes bien claires.

Depuis lors, j'ai mis l'accent sur la relation d'aide et la formation de disciples dans mon ministère de professeur et de pasteur. J'ai formé et conseillé de nombreuses personnes. J'ai également enseigné des cours sur la formation de disciples et la relation d'aide pastorale au niveau universitaire, dans des églises et lors de conférences. L'essentiel de mon ministère consiste à dévoiler la réalité insidieuse des assauts continus de Satan contre la pensée du chrétien. Il sait que s'il peut nous empêcher de comprendre qui nous sommes en Christ, il pourra aussi nous empêcher de connaître la maturité et la liberté qui reviennent aux enfants de Dieu.

Je suis intrigué par les recoupements entre les ministères de formation de disciples et de relation d'aide. La formation de disciples regarde vers l'avenir pour stimuler la croissance et la maturité spirituelles. La relation d'aide regarde vers le passé pour corriger les problèmes et renforcer les zones de faiblesse. Mais les deux ministères devraient commencer au présent par des questions profondément personnelles : « Qui suis-je ? Qu'est-ce que je fais ? Comment est-ce que je me perçois ? » Notre passé a déterminé notre système de valeurs présent et déterminera notre avenir à moins de sérieusement y prêter attention.

De plus, je suis convaincu que la formation de disciples, la relation d'aide et la Bible elle-même commencent au même point : par une connaissance de Dieu et de notre identité en Christ. Si nous connaissions Dieu, notre comportement changerait instantanément et radicalement. L'Écriture l'illustre abondamment. Chaque fois que le ciel s'ouvrait pour révéler la gloire de Dieu, les témoins étaient immédiatement et profondément transformés. La santé et la liberté mentales et spirituelles sont essentiellement déterminées par une juste compréhension de Dieu et une bonne relation avec lui. Une bonne théologie est indispensable à une bonne psychologie.

Quelques semaines après l'une de mes conférences, un ami m'a raconté l'histoire d'une femme chrétienne qui y avait participé. Elle avait connu une profonde dépression pendant plusieurs années et avait «survécu» grâce à l'aide de ses amis, à trois séances de psychothérapie par semaine et à une série de médicaments.

Pendant la conférence, cette femme s'est rendu compte qu'elle s'appuyait sur tout et tout le monde sauf sur Dieu. Elle ne s'était pas déchargée de son anxiété sur Christ et elle était tout, sauf dépendante de lui. Elle relut les notes de la conférence chez elle et commença à fonder son identité sur Christ et à se confier en lui pour ses besoins quotidiens. Elle rejeta radicalement toute autre aide (ce que je ne recommande pas) et décida de se confier en Christ seul pour sortir de la dépression. Elle apprit à vivre par la foi et à renouveler ses pensées comme les notes de la conférence le suggéraient. Après un mois seulement elle était complètement transformée. La connaissance de Dieu est indispensable à la maturité et à la liberté.

Un autre recoupement entre la formation de disciples et la relation d'aide se situe au niveau de la responsabilité personnelle. Les personnes qui désirent avancer vers la maturité spirituelle peuvent certainement profiter de la formation que d'autres leur apportent. D'autre part, celles qui recherchent une libération de leur passé peuvent être aidées par une relation d'aide. Mais en fin de compte, chaque chrétien est responsable de sa propre maturité et de sa propre liberté en Christ. Personne ne peut nous aider à grandir. C'est une décision personnelle qui engage notre propre responsabilité. Personne ne peut résoudre nos problèmes. C'est un processus que nous devons enclencher et que nous devons mener à bien. Heureusement, aucun d'entre nous ne doit cheminer seul à travers les disciplines de la maturité et de la liberté personnelles. Le Christ qui habite en nous désire instamment marcher avec nous.

Ce livre est le premier d'une série de deux livres basés sur mon expérience dans la formation de disciples et la relation d'aide. Bien que ces deux ministères soient importants pour votre bien-être spirituel, je crois que la croissance du disciple vers la maturité en Christ est primordiale. Avant d'être réellement libérés de notre passé, nous devons savoir qui nous sommes en Christ. C'est la base de notre maturité chrétienne.

Ce livre traite des principes de base de la maturité chrétienne. Vous découvrirez qui vous êtes en Christ et comment vivre par la foi. Vous découvrirez comment marcher selon l'Esprit et être sensible à ses directives. La marche par l'Esprit est essentielle pour vous empêcher d'être emporté par des esprits trompeurs comme l'était mon jeune disciple, Robert.

Dans ce livre, vous découvrirez la nature du combat pour vos pensées et vous apprendrez pourquoi ces pensées doivent être transformées pour permettre la croissance spirituelle. Vous comprendrez comment maîtriser vos émotions et être libéré des traumatismes émotionnels du passé par la foi et le pardon.

Dans le second livre, *Le libérateur* (The Bondage Breaker), j'insiste sur notre liberté en Christ et sur les conflits spirituels du chrétien d'aujourd'hui. Nous ne faisons pas toujours la distinction entre la liberté et la maturité dans la vie chrétienne. Ainsi, la liberté est un fait instantané, alors que la maturité, elle, s'acquiert de manière progressive. De plus, si vous n'êtes pas libéré des liens du monde, de la chair et du diable, vous ne pouvez atteindre la maturité.

Je suggère que vous lisiez ce livre sur la croissance et la maturité d'abord, et que vous examiniez ensuite les conflits et la liberté spirituelle en lisant *Le libérateur*.

Une nouvelle identité se présente un peu comme une épître du Nouveau Testament. La première partie du livre pose les fondements doctrinaux et définit les termes nécessaires pour la compréhension et la mise en œuvre des chapitres pratiques qui suivent. Vous serez peut-être tenté de sauter la première partie car elle semble moins pertinente. Mais elle est indispensable pour discerner votre position et votre victoire en Christ pour ensuite les mettre en pratique dans votre croissance avec lui. Vous devez savoir ce qu'il faut croire avant de comprendre ce qu'il faut faire.

J'ai parlé à des milliers de gens comme Robert, mon premier candidat à une formation de disciple. Ils sont chrétiens, mais ils ne vont nulle part. Ils sont engagés à servir Christ par leur vie, mais ils manquent de maturité, ils sont trompés et vaincus. Leur vie manque de fruit et ils perdent tout espoir. Ces gens me rappellent les vers suivants :

Prête-moi ton espoir,
J'ai dû égarer le mien.
Je me sens chaque jour perdu, désespéré,
La douleur et la confusion sont mes compagnes.
Je ne sais où aller ;
L'avenir ne présage aucun espoir renouvelé.
Je ne vois que des périodes troublées,
Des journées pleines de douleur et de nouvelles tragédies.

Prête-moi ton espoir,
J'ai dû égarer le mien.
Tiens ma main et serre-moi dans tes bras ;
Écoute toutes mes divagations, la guérison me paraît si lointaine.
La route vers l'apaisement me semble si longue, si solitaire.

Prête-moi ton espoir,
J'ai dû égarer le mien.
Tiens-toi près de moi, offre-moi ta présence, ton cœur et ton amour.
Reconnais ma douleur, elle est si réelle et si présente.
Je suis accablé par des pensées tristes et contradictoires.

Prête-moi ton espoir ;
Le jour de la guérison viendra,
Alors je partagerai mon renouvellement, mon espoir et mon amour avec d'autres [1].

---

[1] Adapté du poème *Lend Me Your Hope*, auteur inconnu.

Ces mots reflètent-ils votre expérience, entendez-vous l'écho de votre propre recherche en tant que croyant ? Vous sentez-vous parfois pris au piège par le monde, la chair et le diable, au point que vous vous demandez si le christianisme vaut encore quelque chose ? Avez-vous parfois peur de ne jamais être tout ce que Dieu vous a appelé à être ? Avez-vous hâte d'avancer en maturité chrétienne et de connaître la liberté que la Parole de Dieu promet ?

Je voudrais partager mon espoir avec vous dans les lignes qui vont suivre. Votre maturité sera le résultat de l'action du temps, des pressions, des épreuves, des tribulations, de la connaissance de la Parole de Dieu, de la compréhension de votre identité en Christ et de la présence du Saint-Esprit dans votre vie. Comme la plupart des chrétiens, vous disposez probablement déjà en abondance des quatre premiers ingrédients. Laissez-moi ajouter des doses généreuses des trois derniers ingrédients. Mélangez le tout et vous verrez votre croissance commencer !

CHAPITRE 1

Qui êtes-vous ?

J'aime beaucoup poser la question : « Qui êtes-vous ? » Elle paraît simple de prime abord, mais elle ne l'est pas tant finalement. Voyez plutôt. Si quelqu'un me demandait : « Qui êtes-vous ? », je pourrais répondre : « Neil Anderson »..

– Non, c'est seulement votre nom. Mais qui êtes-vous ?

– Je suis un professeur de faculté de théologie.

– Non, c'est votre profession.

– Je suis américain.

– C'est votre nationalité.

– Je suis baptiste.

– C'est votre dénomination.

Je pourrais aussi dire que je mesure 1,78 m et que je pèse un peu plus de 70 kg – en fait, *beaucoup* plus que 70 kg ! Mais mes caractéristiques physiques ne me décrivent pas non plus. Si vous deviez couper mes bras et mes jambes serais-je encore « moi » ? Si vous deviez greffer mon cœur, mes reins ou mon foie, serais-je encore « moi » ? Bien sûr ! Mais si vous continuez à couper, vous allez finalement m'atteindre, parce que je dois être quelque part. Mais mon identité dépasse ce que vous voyez à l'extérieur.

Nous pourrions dire avec l'apôtre Paul que « nous ne connaissons personne selon la chair » (2 Cor. 5 : 16). Mais nous avons tendance à nous identifier principalement par notre apparence ou par notre métier. De plus, quand il nous est demandé, à nous chrétiens, de nous identifier par rapport à notre foi, nous parlons généralement de nos positions doctrinales (protestant, évangélique, calviniste, charismatique), ou de notre dénomination (baptiste, réformé, évangélique libre, indépendant) ou de notre fonction dans l'église (moniteur d'école du dimanche, membre de la chorale, diacre).

Mais, mon identité est-elle déterminée par ce que je fais, ou est-ce elle qui détermine ce que je fais ? Voilà une question importante, surtout par rapport à la maturité chrétienne. Je défends la deuxième opinion. Je crois fermement que notre croissance et notre épanouissement dépendent de l'idée que nous avons de nous-même et surtout de notre identité en Christ. Notre compréhension de nous-même est à la base de notre système de pensées et de nos modèles de comportement en tant que chrétien.

Mauvaises équations dans la recherche d'identité

Il y a plusieurs années, je me suis entretenu avec une jeune fille de 17 ans. Je n'avais jamais rencontré une fille aussi avantagée. Elle avait le visage et la taille d'un mannequin. Elle avait un an d'avance à l'école et des notes qui frôlaient la perfection. Musicienne de talent, elle avait obtenu une bourse complète pour une université chrétienne. Elle conduisait une voiture de sport flambant neuve que ses parents lui avaient offerte après son baccalauréat. J'étais étonné qu'une seule personne puisse réunir autant de qualités.

Mais après une demi-heure de récit de sa part, je commençai à me rendre compte que l'intérieur ne correspondait pas à l'extérieur.

– Marie, lui dis-je finalement, t'es-tu déjà endormie en pleurant parce que tu ne te sentais pas à la hauteur et que tu souhaitais être quelqu'un d'autre ?

Elle se mit à pleurer.

– Comment le savez-vous ?

– Pour être honnête, Marie, ai-je répondu, j'ai découvert que ceux qui *semblent* avoir les choses bien en mains ont généralement des difficultés dans leur vie intérieure.

Souvent ce que nous montrons extérieurement n'est qu'une façade destinée à cacher qui nous sommes vraiment et à couvrir les peines secrètes que nous ressentons face à notre identité. D'une manière ou d'une autre, nous pensons que si nous paraissons beaux ou si nous agissons bien ou si nous jouissons d'une certaine considération sociale, notre vie intérieure sera aussi équilibrée. Mais ce n'est pas vrai. Les apparences externes, les réalisations et le statut social ne reflètent pas nécessairement – ni ne produisent – la paix et la maturité intérieures.

Dans son livre *The Sensation of Being Somebody* (Le sentiment d'être quelqu'un), Maurice Wagner explique ces faux raisonnements par des équations que nous avons tendance à accepter. Voici quelques exemples de ce que nous pensons :

- La beauté extérieure + l'admiration qu'elle apporte
  = une personne épanouie.
- Des performances de qualité + des réussites
  = une personne épanouie.
- Le statut social + la considération
  = une personne épanouie.

Ce n'est pas vrai. Ces équations sont tout aussi fausses que deux plus deux égalent six. Wagner dit :

> Quels que soient nos efforts pour confirmer notre sentiment d'être quelqu'un par notre apparence, nos performances ou notre statut social, nous ne sommes jamais satisfaits. Quel que soit le sommet d'auto-identité que nous atteignons, il s'écroule vite sous les pressions du rejet ou des critiques, de l'introspection ou de la culpabilité, de la peur ou de l'anxiété. Nous ne pouvons rien faire pour avoir droit aux avantages qui découlent d'un amour inconditionnel et volontaire[2].

---

[2] WAGNER Maurice, *The Sensation of Being Somebody* (Grand Rapids, MI : Zondervan Publishing House, 1975), p. 163.

Si ces équations étaient valables pour quelqu'un, elles l'auraient été pour le roi Salomon. Il était le roi d'Israël pendant les plus grandes années de son histoire. Il avait le pouvoir, le rang, la richesse, les possessions et les femmes. Si l'apparence, l'admiration, les performances, les réalisations ou le statut donnaient un sens à la vie, Salomon aurait été l'homme le plus épanoui qui ait jamais vécu.

Mais Dieu avait aussi donné au roi une dose supplémentaire de sagesse pour évaluer ses réalisations. Et quel est son commentaire sur tout cela ? « Vanité des vanités ! […] oui, tout est dérisoire ! » (Eccl. 1 : 2 – *Semeur*). Et le livre de l'Ecclésiaste continue en décrivant la futilité de la recherche d'un sens à la vie par le « matériel » et le « périssable ». Suivez le conseil d'un roi plein de sagesse : toutes les choses et les actions que vous pouvez accumuler n'apportent pas l'équilibre intérieur. Des millions de personnes grimpent l'échelle du succès pour se rendre compte au sommet qu'elles s'appuient sur le mauvais mur !

Nous avons aussi tendance à croire le côté négatif de la formule « succès = épanouissement » en pensant que si quelqu'un n'a rien, il n'a pas d'espoir de bonheur. Par exemple, j'ai présenté ce scénario à un lycéen il y a quelques années :

– Supposons qu'une fille dans ton école a les cheveux gras et un corps sans forme, elle trébuche quand elle marche et elle bégaie quand elle parle. Elle est couverte de boutons et ses notes sont médiocres. A-t-elle des chances d'être heureuse dans la vie ?

Il a réfléchi un instant, puis répondu :

– Probablement pas.

Dans ce royaume terrestre, où la plupart des gens vivent à un niveau purement extérieur, il a raison. Le bonheur est associé à la beauté physique, aux relations avec les gens importants, à un bon emploi et à un compte en banque bien fourni. Une vie sans ces « avantages » est considérée sans espoir.

La seule équation d'identité qui marche dans le royaume de Dieu c'est : « Moi + Christ = l'équilibre et une vie qui a un sens ».

Qu'en est-il donc de la vie dans le royaume de Dieu ? Les équations « succès = bonheur » et « échec = désespoir » n'existent pas. Tout le monde a exactement les mêmes chances d'avoir une vie qui a un sens. Pourquoi ? Parce que l'équilibre et le sens dans la vie ne découlent pas de ce que l'on a ou n'a pas, de ce que l'on fait ou ne fait pas. Vous êtes déjà une personne équilibrée et vous possédez une vie qui a un sens infini à cause de votre identité : vous êtes un enfant de Dieu. La seule équation d'identité qui marche dans le royaume de Dieu c'est : « Moi + Christ = l'équilibre et une vie qui a un sens ».

– Si notre identité en Christ est la clé de l'équilibre, pourriez-vous demander, alors pourquoi tant de chrétiens ont-ils du mal à reconnaître leur valeur personnelle et à grandir spirituellement ?

Parce que nous avons été trompés par le diable. Notre identité réelle en Christ a été déformée par le grand menteur lui-même.

Ce mensonge m'a sauté aux yeux il y a quelques années quand je conseillais une jeune fille chrétienne qui était la victime d'oppressions sataniques. Je lui ai demandé :

– Qui es-tu ?

– Je suis le mal, a-t-elle répondu.

– Tu n'es pas le mal. Comment un enfant de Dieu peut-il être le mal ? Est-ce ainsi que tu te vois ?

Elle acquiesça.

Elle avait peut-être *commis* le mal, mais elle n'*était* certainement pas le mal. Elle basait son identité sur un mauvais raisonnement. Elle permettait aux accusations de Satan contre son comportement d'influencer sa perception de son identité plutôt que de permettre à son identité – d'enfant de Dieu en Christ – d'influencer son comportement.

Malheureusement, un grand nombre de chrétiens tombent dans le même travers. Nous échouons, et nous nous considérons donc comme des échecs, ce qui nous pousse à échouer davantage. Nous péchons, et nous nous considérons donc comme des pécheurs, ce qui nous fait pécher encore davantage. Nous sommes tombés dans le piège des équations creuses du diable. Et nous croyons donc que ce que nous faisons détermine ce que nous sommes. Et ces faux raisonnements nous conduisent dans une spirale de désespoir et de défaite.

La création originelle
Genèse 1, 2

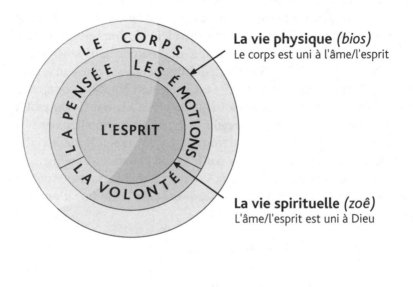

La vie physique *(bios)*
Le corps est uni à l'âme/l'esprit

La vie spirituelle *(zoê)*
L'âme/l'esprit est uni à Dieu

1. La valeur – Gen. 1 : 28
   L'homme a un but divin
2. La sécurité – Gen. 1 : 29 et suivants
   Tous les besoins de l'homme sont comblés
3. L'appartenance – Gen. 2 : 18 et suivants
   L'homme a un sentiment d'appartenance

Bios = L'âme est unie au corps
Zoê = L'âme est unie à Dieu

Figure 1-A

L'héritage positif de la création

Pour comprendre qui nous sommes réellement, nous devons réaliser quelle identité nous avons héritée d'Adam lors de la création. Ingénieur de formation, j'ai aujourd'hui encore un faible pour les croquis ; j'ai donc inclus des diagrammes simples pour vous aider à visualiser l'état originel de notre identité humaine (voir figure 1-A).

Genèse 2 : 7 dit : « L'Éternel Dieu forma l'homme de la poussière du sol ; il insuffla dans ses narines un souffle vital, et l'homme devint un être vivant ». C'est notre origine à tous. Dieu a créé Adam, le premier être humain et notre premier ancêtre et nous sommes tous nés à sa ressemblance.

Depuis des années, les théologiens débattent pour savoir si les membres de la race d'Adam sont constitués de deux ou de trois parties. Les trichotomistes disent que nous sommes composés d'un corps, d'une âme (contenant la pensée, les émotions et la volonté) et d'un esprit. Les dichotomistes croient que l'homme est simplement matériel et immatériel, possédant donc un corps et une âme/un esprit.

Je ne pense pas que ce soit vraiment important d'adhérer à l'une ou l'autre de ces positions théologiques. Disons simplement que nous avons un être extérieur, un corps physique qui réagit avec ce monde par les cinq sens, et un être intérieur qui est créé à l'image de Dieu (Gen. 1 : 26-27) Quelque part dans l'être intérieur nous trouvons notre pensée (qui nous permet de réfléchir), nos émotions (qui nous permettent de ressentir), et notre volonté (qui nous permet de choisir). Certains appellent cette partie à trois composantes l'âme. L'esprit est soit superposé à l'âme dans l'être intérieur (comme le pensent les dichotomistes) ou séparé de l'âme (comme le soutiennent les trichotomistes).

Lorsqu'Adam est né, c'est-à-dire quand Dieu a insufflé le souffle de vie dans ses narines, toutes les parties de son être, indépendamment de leur nombre, se sont éveillées à la vie. Adam était totalement vivant physiquement et spirituellement.

Vivant physiquement

Le mot *bios* dans le Nouveau Testament nous donne la meilleure description de la vie physique. En effet, *bios* décrit l'union de notre corps physique et de notre être immatériel – pensées, émotions, volonté. Être physiquement vivant, c'est être uni à son corps. Mourir physiquement signifie que l'on se sépare de son corps temporel et le *bios* prend fin. Paul dit que celui qui quitte son corps demeure avec le Seigneur (2 Cor. 5 : 8). En examinant ce verset, il est clair que l'identité du chrétien doit dépasser ses attributs et ses capacités physiques, parce que le corps est abandonné à la mort et l'être spirituel va rejoindre le Seigneur.

Bien que notre identité principale ne se limite pas au physique, nous ne pouvons exister dans cette vie sans un corps physique. Notre être immatériel a besoin de notre être matériel et vice versa pour que le *bios* soit possible.

Par exemple, notre cerveau physique est comme un ordinateur et notre pensée immatérielle est comme un programmeur. Un ordinateur ne peut travailler sans un programmeur, et un programmeur ne peut pas programmer sans un ordinateur. Nous avons besoin de notre cerveau physique pour gérer les mouvements et les réactions, et nous avons besoin de notre pensée immatérielle pour raisonner et émettre des jugements de valeur. L'un ne fonctionne pas sans l'autre dans cette vie. Le meilleur spécimen de cerveau humain ne peut rien accomplir dans un cadavre sans pensée. De même, vous pouvez avoir les meilleures capacités de raisonnement du monde, mais si votre cerveau est endommagé par la maladie d'Alzheimer, vous ne pourrez pas bien fonctionner en tant que personne.

Tant que je vis dans le monde physique, je dois le faire dans un corps physique. Ainsi, je vais prendre soin de mon corps dans la mesure du possible, par des exercices physiques, une bonne alimentation, etc. Mais il n'en reste pas moins vrai que mon corps est corruptible et qu'il se dégrade. Je suis différent d'il y a vingt ans, et je n'ai pas beaucoup d'espoir pour les vingt prochaines années. Dans 2 Corinthiens 5 : 1-4, Paul compare le corps du croyant à une tente, l'habitation temporaire de l'âme. Pour garder cette illustration, je dois avouer que mes piquets s'arrachent, ma toile gondole et mes coutures s'usent ! À mon âge, je suis content que mon être ne se limite pas au costume temporaire que je porte.

Vivant spirituellement

Nous avons aussi hérité d'Adam la capacité d'avoir une vie spirituelle. Paul a écrit : « Et même lorsque notre homme extérieur se détruit, notre homme intérieur se renouvelle de jour en jour » (2 Cor. 4 : 16). Il faisait allusion à la vie spirituelle du croyant qui ne vieillit pas ni ne se décompose, contrairement à l'enveloppe extérieure. Être spirituellement en vie – désigné par le mot *zoê* dans le Nouveau Testament – signifie que l'âme (ou l'esprit) est unie à Dieu. C'est la condition dans laquelle Adam a été créé – physiquement vivant *et* spirituellement vivant, en union parfaite avec Dieu.

Pour le chrétien, être spirituellement vivant, c'est être uni à Dieu en étant en Christ. C'est l'usage que le Nouveau Testament fait du mot *zoê*. En fait, être en Christ constitue le thème central du Nouveau Testament. Comme Adam, nous avons été créés pour être unis à Dieu. Mais, comme nous le verrons plus loin dans ce chapitre, Adam a péché et son union avec Dieu, comme la nôtre, a été rompue. Le plan éternel de Dieu consiste à ramener la création auprès de lui et à rétablir l'union qu'il connaissait avec Adam au commencement. Cette union rétablie avec Dieu, nous la trouvons en Christ, et elle est l'essence même de notre identité.

La valeur

Dans la création originelle, l'être humain avait une grande valeur. Il avait reçu la domination sur toutes les autres créatures de Dieu : « Dieu dit : Faisons l'homme à notre image selon notre ressemblance, pour qu'il domine sur les poissons de la mer, sur les oiseaux du ciel, sur le bétail, sur toute la terre et sur tous les reptiles qui rampent sur la terre. Dieu créa l'homme à son image : il le créa à l'image de Dieu, homme et femme il les créa » (Gen. 1 : 26-27).

Dieu créa Adam et lui donna un but divin et essentiel pour son existence : dominer sur toutes les créatures de Dieu. Satan était-il présent lors de la création ? Oui. Était-il alors le dieu de ce monde ?

Pas du tout. Qui pouvait exercer la domination dans le jardin ? Adam, jusqu'à ce que Satan usurpe sa domination par ses tromperies. C'est alors que Satan devint le dieu de ce monde.

Sommes-nous conscients que la domination considérable qu'Adam exerçait avant la chute nous incombe aujourd'hui, à nous les chrétiens ? Cela fait partie de notre héritage en Christ. Satan n'a aucune autorité sur nous, même s'il tente de nous persuader du contraire. À cause de notre position en Christ, c'est *nous* qui avons autorité sur lui. Cela fait partie de notre identité.

La sécurité

Lors de la création, Adam a non seulement reçu un rôle valorisant d'autorité, mais il a également connu un sentiment de sécurité et de confiance. Tous ses besoins étaient satisfaits. Genèse 1 : 29-30 rapporte : « Dieu dit : Voici je vous donne toute herbe porteuse de semence et qui est à la surface de toute la terre, et tout arbre fruitier porteur de semence : ce sera votre nourriture. À tout animal de la terre, à tout oiseau du ciel, à tout ce qui rampe sur la terre et qui a souffle de vie, je donne toute herbe verte pour nourriture. Il en fut ainsi ».

Adam était comblé dans le jardin. Lui et les animaux qu'il soignait avaient suffisamment de nourriture. Il pouvait manger de l'arbre de la vie et vivre éternellement dans la présence de Dieu. Il ne manquait de rien.

La sécurité est un autre aspect de notre héritage en Christ. Les richesses du royaume de Dieu sont à notre disposition ainsi que ses promesses de subvenir à tous nos besoins (Phil. 4 : 19).

Le sentiment d'appartenance

Dans le jardin, Adam et Ève connaissaient un sentiment profond d'appartenance. Adam vivait apparemment dans une communion intime, personnelle avec Dieu avant qu'Ève n'entre en scène. Dieu présenta alors à Adam une autre dimension de l'appartenance : « L'Éternel Dieu dit : Il n'est pas bon que l'homme soit seul ; je lui ferai une aide qui sera son vis-à-vis » (Gen. 2 : 18). Dieu donna Ève à Adam – et Adam à Ève – pour enrichir son expérience d'appartenance.

Ce sentiment réel d'appartenance nous vient aujourd'hui non seulement parce que nous savons que nous appartenons à Dieu, mais aussi parce que nous nous appartenons l'un à l'autre. Quand Dieu a créé Ève, il a établi la communauté humaine. Il n'est pas bon pour nous d'être seul. L'isolement peut conduire à la solitude. L'antidote donné par Dieu à la solitude, c'est l'intimité – des relations ouvertes, partagées, constructives l'un avec l'autre. En Christ, nous pouvons connaître un sentiment satisfaisant d'appartenance qui vient d'une relation intime avec Dieu et avec d'autres croyants.

L'héritage négatif de la chute

Malheureusement, le cadre idyllique du jardin d'Éden fut brisé. Genèse 3 raconte une triste histoire : la relation d'Adam et Ève avec Dieu a été rompue à cause du péché. Les effets de la chute de l'homme furent radicaux, immédiats et d'une grande portée, touchant tous les membres ultérieurs de la race humaine.

La mort spirituelle

Quelle a été la conséquence spirituelle de la chute d'Adam et Ève ? Ils sont morts. Leur union avec Dieu a cessé et ils ont été séparés de Dieu. Dieu avait pourtant clairement dit : « Mais tu ne mangeras pas de l'arbre de la connaissance du bien et du mal, car le jour où tu en mangeras, tu mourras » (Gen. 2 : 17). Ils en ont mangé et ils sont morts.

Sont-ils morts physiquement ? Non. Ils ont continué à vivre pendant quelques centaines d'années. En revanche, ils sont morts spirituellement ; leur *zoê* était détruit. Ils ont été chassés du jardin d'Éden dont l'entrée leur a été interdite par des chérubins agitant une épée flamboyante (Gen. 3 : 23-24).

Tout comme nous avons hérité la vie physique de nos premiers ancêtres, nous avons aussi hérité d'eux la mort spirituelle (Rom. 5 : 12 ; Éph. 2 : 1 ; 1 Cor. 15 : 21-22). Tout être humain qui entre dans le monde est vivant physiquement, mais mort spirituellement, séparé de Dieu.

Les effets de la chute
Genèse 3:8 à 4:9

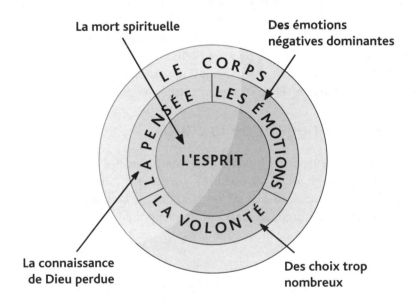

1. Le rejet, qui a pour conséquence :
   un besoin d'appartenir !
2. La culpabilité et la honte, qui ont pour conséquence :
   un besoin de valeur personnelle !
3. La faiblesse et l'impuissance, qui ont pour conséquence :
   un besoin de force et de maîtrise de soi !

Note : Tout comportement pécheur découle des mauvaises solutions que nous trouvons pour combler ces besoins fondamentaux. À la base du péché se trouve l'indépendance de l'homme vis-à-vis de Dieu qui a dit qu'il subviendrait à tous nos besoins si nous vivons notre vie « en Christ ».

Figure 1-B

La connaissance de Dieu perdue

Quel effet la chute a-t-elle eu sur la pensée d'Adam ? Ève et lui ont perdu leur juste perception de la réalité. Nous lisons dans Genèse 3 : 7-8 qu'ils essayèrent de se cacher de Dieu. Cela ne révèle-t-il pas une mauvaise compréhension de la personne de Dieu ? Comment peut-on se cacher de Dieu ? Après la chute, Adam et Ève n'avaient plus une claire vision des choses. Leur perception déformée de la réalité se retrouve dans la description que Paul fait des pensées futiles de ceux qui ne connaissent pas Dieu : « Ils ont la pensée obscurcie, ils sont étrangers à la vie de Dieu, à cause de l'ignorance qui est en eux et de l'endurcissement de leur cœur » (Éph. 4 : 18).

En premier lieu, quand Adam et Ève ont péché, ils ont perdu la vraie connaissance de Dieu. Dans le plan originel de Dieu, la connaissance était relationnelle. Connaître quelqu'un impliquait une relation personnelle et intime. Nous le voyons dans Genèse 4 : 1 : « L'homme connut Ève sa femme ; elle devint enceinte ». Pourtant, nous n'associons généralement pas le fait de connaître quelqu'un avec une intimité personnelle.

Avant la chute, Adam et Ève connaissaient Dieu, non pas sexuellement bien sûr, mais dans le même degré d'intimité que celui que nous associons au mariage. Ils connaissaient Dieu par leur proximité avec lui. Au moment où ils ont péché, Adam et Ève ont perdu, et ce lien étroit avec Dieu, et la connaissance de Dieu qui était à la base de leur relation avec lui. Vous et moi avons ensuite hérité de la pensée obscurcie d'Adam et Ève. Dans notre état non régénéré, nous connaissions des choses *au sujet* de Dieu, mais nous ne *connaissions* pas Dieu parce que nous n'avions pas de relation avec lui.

La nécessité d'être en relation avec Dieu pour le connaître est mise en lumière par le message de Jean : « La Parole – *logos* en grec – a été faite chair » (Jean 1 : 14). C'était une affirmation lourde de sens dans un monde fortement influencé par la philosophie grecque. Le mot « logos » remonte à des siècles avant Jésus-Christ et représente la forme de connaissance philosophique la plus élevée. Pour les Grecs, le fait de dire que le logos a été fait chair revient à dire que la connaissance absolue est devenue personnelle et relationnelle.

L'hébreu *dabar*, traduit par « mot », exprime également la sagesse absolue de Dieu.

En Christ nous pouvons connaître Dieu personnellement. Notre relation avec Dieu par Christ est à la base de notre identité.

L'Évangile selon Jean unit ces deux cultures et ces deux idées en Christ. Dieu fait cette annonce au monde par l'intermédiaire de Jean : la vraie connaissance de Dieu, possible uniquement par une relation intime avec Dieu, est désormais accessible au monde par Dieu fait chair – Jésus-Christ. En Christ nous pouvons connaître Dieu personnellement. Notre relation avec Dieu en Christ est à la base de notre identité.

Des émotions négatives dominantes

Quelles sont les conséquences émotionnelles de la chute ? D'abord, nous sommes devenus craintifs et anxieux. Une des premières émotions apparues après la chute, c'est la peur (Gen. 3 : 10). Aujourd'hui la peur est une émotion sous-jacente à toutes nos relations et activités. Lors d'un culte à notre faculté il y a deux ans, le responsable d'une dénomination disait ceci :

– En parlant à nos pasteurs, je découvre que la motivation principale dans leur vie, c'est la peur de l'échec.

La peur est le résultat de la chute. Si la peur domine votre vie, la foi ne la domine pas.

Un autre sous-produit émotionnel du péché, c'est la honte et la culpabilité. Avant qu'Adam et Ève ne désobéissent à Dieu, ils étaient nus et n'en avaient pas honte (Gen. 2 : 25). Dieu les avait créés pour être des êtres sexués. Leurs organes et leur activité sexuels étaient saints. Mais après avoir péché, ils avaient honte d'être nus et devaient se couvrir (Gen. 3 : 7). De nombreuses personnes cachent leur être intérieur de peur que les autres découvrent ce qu'elles sont vraiment.

L'humanité a aussi connu la dépression et la colère après la chute. Caïn a apporté son offrande à Dieu et, pour une certaine raison, Dieu en était très mécontent. « Caïn fut très irrité, et son visage fut abattu. L'Éternel dit à Caïn : Pourquoi es-tu irrité, et pourquoi ton visage est-il abattu ? Si tu agis bien tu relèveras la tête, mais si tu n'agis pas bien, le péché est tapi à ta porte et ses désirs se portent vers toi : mais toi, domine sur lui » (Gen. 4 : 5-7).

Pourquoi Caïn était-il furieux et déprimé ? Parce qu'il n'avait pas fait le bien. J'entends Dieu lui dire : « Si tu fais simplement ce qui est bien, tu ne te sentiras pas si mal ».

Je crois que Dieu pose ici un principe qui sera répété dans toute la Bible : les sentiments ne produisent pas un bon comportement, mais le comportement apporte les bons sentiments. Il y a des milliers de choses que nous n'avons pas envie de faire, mais nous les faisons. Je n'ai jamais envie d'aller à l'hôpital visiter les malades. Dès que je franchis la porte, l'odeur à elle seule enlève tous les sentiments positifs que je pourrais avoir. Mais je me sens toujours bien par la suite ; je suis content d'y avoir été. Les bons sentiments suivent les bons comportements.

Des choix trop nombreux

Le péché d'Adam et Ève a aussi eu des conséquences sur leur volonté. Vous rendez-vous compte que dans le jardin d'Éden ils ne pouvaient faire qu'un seul mauvais choix ? Tout ce qu'ils voulaient faire était bon sauf manger de l'arbre de la connaissance du bien et du mal (Gen. 2 : 16-17). Ils avaient la possibilité de faire une multitude de bons choix et un seul mauvais choix – *un seul !*

En fin de compte, malgré la multitude de bons choix possibles, ils ont fait ce seul mauvais choix. Il en résulte que vous et moi, nous devons journellement faire face à une multitude de bons *et* de mauvais choix. Nous pouvons choisir de prier ou de ne pas prier, de lire la Bible ou de ne pas la lire, d'aller à l'église ou de ne pas y aller. Nous pouvons choisir de marcher selon la chair ou selon l'Esprit. Nous rencontrons des choix innombrables tous les jours, et nous faisons aussi des mauvais choix.

Les privilèges deviennent des besoins

Autre effet du péché à long terme : les privilèges qu'avait l'homme avant la chute sont devenus, après la chute, des besoins criants. Je vois cette triste transition dans trois domaines. Chacun de ces trois besoins se retrouve dans notre vie.

1. **L'appartenance a été remplacée par le rejet ; nous avons donc besoin de sentir que nous appartenons à quelqu'un.** Déjà avant la chute, Adam ressentait ce besoin et il était comblé par l'intimité de sa relation avec Dieu dans le jardin. De toutes les choses qui étaient bonnes dans le jardin, la seule qui n'était « pas bonne », c'était qu'Adam soit seul (Gen. 2 : 18). Dieu a satisfait ce besoin en créant Ève.

   Depuis que le péché d'Adam et d'Ève les a éloignés de Dieu et a introduit les conflits dans les relations humaines, nous connaissons un besoin profond d'appartenir à quelqu'un. Même quand des personnes viennent à Christ et comblent leur besoin d'appartenance par leur relation avec Dieu, elles ont encore besoin d'appartenir à d'autres. Si notre église ne constitue pas un cadre pour une communion fraternelle légitime entre ses membres, ceux-ci la chercheront ailleurs. D'ailleurs, des études faites dans ce domaine montrent qu'une église ne gardera pas ses membres si, en plus de les amener à Christ, elle ne leur donne pas aussi un ami. L'union spirituelle dans la communion fraternelle – appelée *koinônia* dans le Nouveau Testament – n'est pas simplement une bonne chose que l'église devrait fournir, mais une chose indispensable que l'église *doit* fournir. On ne comprendra jamais l'importance du conformisme dans notre culture si l'on ne comprend pas le besoin légitime d'appartenir et la peur d'être rejeté que nous partageons tous.

2. L'innocence a été remplacée par la culpabilité et la honte ; nous avons donc besoin que notre valeur personnelle soit rétablie. De nombreux psychologues s'accordent pour dire que les gens ont généralement une mauvaise image d'eux-mêmes. Les psychologues non chrétiens y remédient en essayant de flatter le moi humain ou en encourageant les performances. Leur diagnostic est correct ; depuis la chute, l'homme souffre d'une mauvaise image de lui-même. Mais leur réponse est incorrecte. On ne réussira pas à aider quelqu'un à s'accepter lui-même en le flattant. Avez-vous déjà dit à une jolie fille qui a une mauvaise image d'elle-même d'être heureuse parce qu'elle est belle ? Cela ne marche pas.

La valeur personnelle ne dépend pas des talents, de l'intelligence ou de la beauté. C'est une question d'identité. Nous trouvons notre valeur personnelle quand nous savons qui nous sommes : un enfant de Dieu. Nous parlerons dans les chapitres suivants des différents aspects de notre identité en Christ et de la façon dont elle contribue à nous donner de la valeur.

3. L'autorité a été remplacée par la faiblesse et l'impuissance ; nous avons donc besoin de force et de maîtrise de soi. Vous avez probablement l'occasion de voir toutes sortes de méthodes utilisées communément pour tenter de combler le besoin de se dominer et de dominer les autres. Ceux qui sont assez forts se contentent de gifler les autres pour les pousser à l'action. D'autres dominent leur entourage en les agaçant et en les harcelant. D'autres achètent de gros véhicules 4x4 avec d'énormes pneus et les conduisent à travers la ville comme si le monde leur appartenait. Nous pensons que tous ces stratagèmes pour maintenir la domination et le pouvoir prouvent notre maîtrise du destin. Mais, en réalité, nous ne sommes aucunement maîtres de la situation. Nous ne maîtriserons jamais notre vie. L'âme humaine n'a pas été conçue pour cela. Notre alternative sera toujours celle-ci : soit nous servirons le vrai Dieu, soit nous servirons le dieu de ce monde.

Tout comportement pécheur découle des mauvaises solutions que nous trouvons pour combler ces besoins fondamentaux. La question principale est la suivante : allons-nous permettre au monde, à la chair et au diable de satisfaire nos besoins, ou allons-nous laisser Dieu subvenir à tous nos besoins « selon sa richesse, avec gloire, en Christ-Jésus » (Phil. 4 : 19) ? C'est une question d'identité et de maturité. Plus nous comprenons notre identité en Christ, plus nous grandissons en maturité. Et plus nous avons de maturité, plus il nous est facile de répondre correctement à cette question.

Nous avons vu dans ce chapitre que l'identité réelle du croyant ne dépend pas de ce qu'il fait ou de ce qu'il possède, mais de qui il est en Christ. Nous avons examiné l'héritage positif reçu de nos premiers ancêtres, Adam et Ève. Mais nous avons aussi découvert que notre identité spirituelle et tout ce qu'elle comporte a été perdu lors de la chute.

Heureusement, une issue nous est offerte ! L'échec du premier Adam a été suivi par la réussite totale du dernier Adam, Jésus-Christ. Il nous a restitué notre identité perdue lors de l'expulsion du jardin. Son triomphe et ce qu'il a acquis pour nous constituent le thème du chapitre suivant.

CHAPITRE 2

Différent pour toujours

Imaginez un instant l'étudiant typique en première année d'université. Appelons-le Gaston. Gaston profite de tous les aspects de la vie universitaire. Il se considère comme une masse de glandes salivaires, de papilles gustatives et de désirs sexuels. Comment Gaston vit-il avec une telle perception de lui-même ? Il mange et il court les filles. Il mange tout et n'importe quoi sans tenir compte de la valeur nutritive de ce qu'il mange. Quant aux filles, il poursuit tout ce qui porte un jupon. Mais c'est une lueur spéciale qui brille dans son œil quand il voit l'appétissante Sophie.

Un jour où Gaston poursuit Sophie tout autour du campus, l'entraîneur d'un club d'athlétisme le remarque :

– En voilà un qui sait courir !

Quand l'entraîneur rattrape finalement Gaston, il lui demande :

– Et si tu faisais de l'athlétisme ?

– Non, répond Gaston, suivant Sophie du coin de l'œil, je n'ai pas le temps.

Mais l'entraîneur n'a pas l'intention de laisser passer un tel talent et il convainc finalement Gaston de faire un coup d'essai.

Gaston commence l'entraînement et découvre bientôt qu'il est vraiment capable de courir. Il modifie ses habitudes d'alimentation et de sommeil et ses capacités s'améliorent sensiblement. Il se met à gagner quelques compétitions ! Ses temps dans sa spécialité deviennent excellents.

Finalement, le jour de la compétition nationale arrive pour Gaston. Il se rend au stade plus tôt, de manière à s'échauffer. Mais, quelques minutes avant sa course, la jolie Sophie fait son apparition, plus belle et plus désirable que jamais. Elle s'approche de Gaston, dans une tenue qui met pleinement en valeur ses qualités physiques. Dans les mains, elle tient un énorme morceau de gâteau au chocolat garni de quelques boules de glace.

– Tu m'as manqué, Gaston, susurre-t-elle délicieusement. Si tu m'accompagnes, tu pourras avoir tout ceci et m'avoir moi aussi.

– Jamais de la vie, Sophie, répond Gaston.

– Pourquoi pas ? boude Sophie.

– Parce que je suis un athlète.

En quoi Gaston a-t-il changé ? Où sont passés ses glandes et ses désirs ? Il est toujours le même garçon qui peut engloutir trois hamburgers, trois paquets de frites et un litre de Pepsi sans problème. Et il est toujours le même garçon qui ne rêve que de s'approcher de la belle Sophie. Mais la perception qu'il a de lui-même a changé. Il ne se considère plus essentiellement comme une masse d'impulsions physiques, mais comme un athlète discipliné. Il est venu au tournoi pour gagner une course. C'est là son intention. La proposition de Sophie va à l'encontre du but qu'il s'est fixé et elle est également contraire à la nouvelle perception qu'il a de lui-même [3].

Poussons l'illustration un peu plus loin. Disons que l'athlète est Éric Liddell, l'homme dont la vie a inspiré le film *Les chariots de feu*. Éric Liddell appartient à Jésus-Christ et il est aussi un coureur très rapide. Vient le jour où il représente son Écosse natale aux Jeux Olympiques.

Quand l'horaire de sa discipline s'affiche, Liddell découvre que sa course a lieu un dimanche. Or, Liddell s'était engagé envers Dieu de ne pas courir le dimanche ; il choisit donc de se retirer d'une course qu'il aurait pu gagner. Pourquoi Éric Liddell, coureur qua-

---

[3] NEEDHAM David C., *Birthright ! Christian, Do You Know Who You Are ?* (Portland, OR : Multnomah Press, 1981), adapté d'une illustration page 73.

lifié, n'a-t-il pas couru ? Parce qu'il est d'abord un enfant de Dieu. Son identité spirituelle, la perception qu'il a de lui-même et le but qu'il s'est fixé dans la vie ont déterminé ses actions.

Tant de chrétiens ne connaissent pas la maturité et la liberté qui leur reviennent grâce à leur héritage en Christ parce qu'ils ont une mauvaise perception d'eux-mêmes ! Ils ne se voient pas comme ils sont réellement en Christ. Ils ne comprennent pas le changement radical qui s'est opéré au moment où ils ont placé leur confiance en lui. Ils ne se voient pas comme Dieu les voit, et dans cette mesure, ils souffrent d'une mauvaise image d'eux-mêmes. Ils ne saisissent pas leur vraie identité et par cela même s'identifient au mauvais Adam.

Le dernier Adam apporte une différence qui transforme une vie

Trop de chrétiens s'identifient au premier Adam, dont la triste histoire d'échec est racontée dans les chapitres 3 et 4 de la Genèse. Nous nous considérons bannis du jardin d'Éden, aspirant à y retourner, avec Adam et Ève, comme si nous faisions partie de leur famille. Nous savons que nous avons lamentablement échoué et que nous avons à jamais perdu le paradis. En plus, nous n'arrivons pas à nous empêcher de répéter l'échec d'Adam tous les jours de notre vie.

Bien sûr, nous avons hérité la vie physique d'Adam. Mais si nous sommes chrétiens, c'est là que s'arrête la ressemblance. Nous sommes désormais identifiés au dernier Adam, Jésus-Christ. Nous ne sommes pas enfermés hors de la présence de Dieu, comme l'était Adam. Nous sommes assis avec Christ dans les lieux célestes (Éph. 2 : 6). La différence entre les deux Adam est d'une importance éternellement capitale dans notre vie. Nous devons nous assurer que nous nous identifions au bon Adam.

Une dépendance éternelle de Dieu

La première chose que nous remarquons au sujet de Christ, le dernier Adam, est sa dépendance complète vis-à-vis de Dieu, le Père. Le premier Adam dépendait de Dieu jusqu'à un certain point. Il est ensuite devenu très indépendant, choisissant de croire au mensonge du serpent au sujet de l'arbre de la connaissance du bien et du mal. Mais Jésus dépendait totalement du Père. Il disait : «Moi, je ne peux rien faire par moi-même» (Jean 5 : 30) ; «je vis par le Père» (Jean 6 : 57) ; «c'est de Dieu que je suis sorti et que je viens» (Jean 8 : 42) ; «Les paroles que je vous dis ne viennent pas de moi-même ; le Père, qui demeure en moi, accomplit ses œuvres» (Jean 14 : 10).

Même affamé après 40 jours sans nourriture, quand Satan lui demanda de transformer les pierres en pain, Jésus répondit : «L'homme ne vivra pas de pain seulement, mais de toute parole qui sort de la bouche de Dieu» (Matt. 4 : 4). Vers la fin de son ministère terrestre, la prière sacerdotale que Jésus adressa à son Père montre bien que cette dépendance était restée intacte : «Maintenant, ils ont reconnu que tout ce que tu m'as donné vient de toi» (Jean 17 : 7). Jésus nous a donné le modèle d'une vie dépendante de Dieu à 100 %.

Une vie spirituelle ininterrompue

Une seconde différence vitale entre les deux Adam concerne la vie spirituelle. Adam était né physiquement et il était vivant spirituellement. Mais quand il a péché, il est mort spirituellement. Après la chute, tous les autres individus nés sur la planète Terre étaient spirituellement morts dès la naissance avec une seule exception notable : Jésus-Christ. Comme le premier Adam, Jésus est né spirituellement vivant aussi bien que physiquement vivant. C'est une raison pour laquelle je n'ai aucun mal à croire à sa naissance virginale. Il devait être spirituellement vivant dès la naissance, conçu par l'Esprit de Dieu, pour pouvoir remplacer le premier Adam pécheur.

Jésus n'a pas gardé sa vie spirituelle (*zoê*) dans l'ombre. Il a ouvertement proclamé : «Moi, je suis le pain de vie» (Jean 6 : 48) ; «Moi, je suis la résurrection et la vie» (Jean 11 : 25) ; «Moi, je suis le chemin, la vérité et la vie» (Jean 14 : 6). L'apôtre Jean montre qu'il a compris ce message lorsqu'il déclare au sujet de Christ : «En (lui) était la vie, et la vie était la lumière des hommes» (Jean 1 : 4).

Mais contrairement au premier Adam, à aucun moment Jésus n'a été déchu de sa vie spirituelle par le péché. Il a conservé sa vie spirituelle jusqu'à la croix. Il a remis son esprit entre les mains de son

Père alors que sa vie physique prenait fin (Luc 23 : 46). Aujourd'hui, dans son corps ressuscité et glorifié, Christ vit encore et pour l'éternité.

Quelle différence la différence de Christ fait en nous !

La différence entre le premier et le dernier Adam correspond à la différence entre la mort et la vie pour nous. Un des meilleurs résumés de cette différence nous est donné dans 1 Corinthiens 15 : 22 : « Et comme tous meurent en Adam, de même aussi tous revivront en Christ ». Mais avant d'examiner le contraste entre la mort et la vie, je veux attirer votre attention sur le complément « en Christ ».

Toute notre discussion dans les chapitres suivants sera basée sur le fait que les croyants sont « en Christ ». Être en Christ, et tout ce que cela implique pour la maturité et la liberté chrétiennes, voilà le thème incontournable du Nouveau Testament. Ainsi, dans les six chapitres de la seule épître aux Éphésiens, nous trouvons 40 allusions au fait d'être en Christ ou d'avoir Christ en soi. Pour chaque mention de Christ en nous, nous lisons dix fois que nous sommes en Christ. Être en Christ est l'élément le plus essentiel de notre identité.

Une nouvelle vie nécessite une nouvelle naissance

Pourtant nous ne sommes pas nés en Christ. Nous sommes nés dans le péché, à cause du premier Adam. Comment Dieu a-t-il prévu de nous permettre de ne plus être « en Adam » mais de devenir « en Christ » ? Jésus l'a révélé dans son dialogue avec Nicodème : nous devons naître de nouveau (Jean 3 : 3). La naissance physique ne nous donne que la vie physique. La vie spirituelle, la vie éternelle que Christ promet à ceux qui viennent à lui, ne nous est accordée que par la naissance spirituelle (Jean 3 : 36).

Quelles sont les conséquences de la vie spirituelle en Christ ? À partir du moment où nous sommes nés de nouveau, notre âme a été unie à Dieu tout comme Adam était uni à Dieu avant la chute. Nous sommes devenus spirituellement vivants et notre nom a été écrit dans le livre de vie de l'Agneau (Apoc. 21 : 27). Mais, contrairement à

Adam, notre union avec Dieu est complète et éternelle parce qu'elle est accordée par Christ, le dernier Adam. Tant que Christ est vivant spirituellement, nous resterons vivants spirituellement – c'est-à-dire pour l'éternité.

Voyez-vous, contrairement à ce que de nombreux chrétiens croient, la vie éternelle ne commence pas à notre mort. Nous sommes dès maintenant spirituellement vivants en Christ. C'est par ce moyen, la nouvelle naissance spirituelle, que nous pouvons être unis à Dieu et nous ne le serons jamais davantage. La seule chose qui changera lorsque nous mourrons physiquement sera l'échange de notre vieux corps terrestre contre un nouveau corps. Mais notre vie spirituelle, commencée lorsque nous nous sommes personnellement confiés en lui, continuera simplement.

Le salut n'est pas une addition future mais une transformation présente. Et cette transformation se produit lors de la naissance spirituelle et non lors de la mort physique. Lorsque nous avons dit « oui » à Christ, notre vieux moi a disparu. Notre nouveau moi est présent pour toujours. Nous ne recevons pas la vie éternelle à notre mort. Nous la possédons maintenant parce que nous sommes « en Christ ».

Une nouvelle vie donne une nouvelle identité

Être chrétien, ce n'est pas seulement recevoir quelque chose, c'est être quelqu'un. Un chrétien n'est pas seulement une personne qui reçoit le pardon, qui peut aller au ciel, qui reçoit le Saint-Esprit, qui reçoit une nouvelle nature. Un chrétien, dans son identité la plus profonde, est un saint, un enfant de Dieu né spirituellement, un chef-d'œuvre divin, un enfant de lumière, un citoyen du ciel. Le fait d'être né de nouveau nous a transformé pour devenir quelqu'un qui n'existait pas auparavant. Ce que nous recevons, en tant que chrétiens, n'est pas le plus important ; l'essentiel est qui nous sommes. Ce n'est pas ce que nous faisons qui détermine ce que nous sommes ; mais c'est ce que nous sommes qui détermine ce que nous faisons (2 Cor. 5 : 17 ; Éph. 2 : 10 ; 1 Pi. 2 : 9-10 ; 1 Jean 3 : 1-2).

*Aucune personne ne peut systématiquement
se comporter d'une manière contraire
à la façon dont elle se perçoit.*

Une bonne compréhension de notre identité en Christ est absolument essentielle à notre réussite dans la vie chrétienne. Aucune personne ne peut systématiquement se comporter d'une manière contraire à la façon dont elle se perçoit. Si vous pensez être un bon à rien, vous vivrez probablement comme un bon à rien. Mais si vous vous considérez comme un enfant de Dieu, spirituellement vivant en Christ, vous commencerez à vivre dans la victoire et la liberté, comme lui a vécu. Outre la connaissance de Dieu, savoir *qui nous sommes* est de loin la vérité la plus importante à saisir.

D'autre part, il nous faut être conscients que quelqu'un de très actif dans ce monde est totalement opposé à ce que nous nous considérions comme spirituellement vivants en Christ. Il s'agit de Satan, bien sûr. Il ne peut rien faire pour modifier notre position et notre identité en Christ. Mais s'il peut nous tromper et nous faire croire son mensonge – que nous ne sommes pas acceptables aux yeux de Dieu et que nous n'aboutirons jamais à rien en tant que chrétiens – alors nous vivrons comme si nous n'avions pas de position ou d'identité en Christ. Le mensonge de Satan concernant notre identité est son arme principale pour attaquer notre croissance et notre maturité en Christ.

Une nouvelle vie donne un nouveau nom

Avez-vous remarqué qu'un des mots le plus souvent utilisé pour désigner le chrétien dans le Nouveau Testament est le mot « saint » ? Paul et les autres auteurs des épîtres emploient généreusement ce mot pour décrire des chrétiens ordinaires, banals, terre à terre, comme vous et moi. Ainsi, dans les salutations de Paul en 1 Corinthiens 1 : 2, nous lisons : « À l'Église de Dieu qui est à Corinthe, à ceux qui ont été sanctifiés en Christ-Jésus, appelés à être saints, et à tous ceux qui, en quelque lieu que ce soit, invoquent le nom de notre Seigneur Jésus-Christ, leur Seigneur et le nôtre ».

Notez que Paul n'a pas dit que nous étions saints après beaucoup d'efforts. Il affirme clairement que nous sommes saints par vocation. Certains d'entre nous se prennent à penser que les saints ont mérité ce titre ronflant parce qu'ils ont vécu une vie exemplaire ou atteint un certain niveau de maturité. C'est faux ! La Bible dit que nous sommes des saints parce que Dieu nous a appelés à être des saints. Nous avons été « sanctifiés en Christ » – rendus saints par notre participation à la vie du seul vrai saint, Jésus-Christ.

Beaucoup de chrétiens disent qu'ils sont des pécheurs sauvés par la grâce. Mais sommes-nous vraiment des pécheurs ? Est-ce notre identité selon la Bible ? Pas du tout. Dieu ne nous appelle pas des pécheurs ; il nous appelle des saints. Si nous nous considérons comme des pécheurs, que ferons-nous ? Nous vivrons comme des pécheurs ; nous pécherons. Pourquoi ne pas nous considérer comme ce que nous sommes vraiment : des saints qui pèchent ? Souvenez-vous : ce que vous faites ne détermine pas qui vous êtes, mais c'est ce que vous êtes qui détermine ce que vous faites.

Ce qui caractérise Christ nous caractérise aussi

Puisque nous sommes des saints en Christ selon la vocation de Dieu, nous partageons l'héritage de Christ. Ce qui caractérise Christ nous caractérise aussi dès maintenant, parce que nous sommes en Christ. Cela fait partie de notre identité.

La liste ci-dessous détaille à la première personne du singulier qui nous sommes réellement en Christ. Ces caractéristiques montrent en partie ce que nous sommes devenus après notre naissance spirituelle. On ne peut les gagner ni les mériter, pas plus qu'une personne née en France ne peut gagner ou mériter les privilèges et les libertés qui découlent de sa nationalité. Ils lui sont garantis par la Constitution du simple fait qu'elle soit née en France. De même, ces caractéristiques nous sont garanties par la Parole de Dieu du simple fait que nous soyons nés dans la nation sainte de Dieu par la foi en Christ.

Qui suis-je ?

- Je suis le sel de la terre (Matt. 5 : 13).
- Je suis la lumière du monde (Matt. 5 : 14).
- Je suis un enfant de Dieu (Jean 1 : 12)
- Je fais partie du vrai cep, je suis un canal de la vie de Christ (Jean 15 : 1, 5).
- Je suis l'ami de Christ (Jean 15 : 15)
- Je suis choisi et établi par Christ pour porter du fruit (Jean 15 : 16).
- Je suis esclave de la justice (Rom. 6 : 18).
- Je suis esclave de Dieu (Rom. 6 : 22).
- Je suis un fils de Dieu ; Dieu est spirituellement mon Père (Rom. 8 : 14-15 ; Gal. 3 : 26 ; 4 : 6).
- Je suis cohéritier avec Christ, je partage son héritage avec lui (Rom. 8 : 17).
- Je suis un temple – une habitation – de Dieu. Son Esprit et sa vie habitent en moi (1 Cor. 3 : 16 ; 6 : 19).
- Je suis uni au Seigneur et je suis avec lui un seul esprit (1 Cor. 6 : 17).
- Je suis un membre du corps de Christ (1 Cor. 12 : 27 ; Éph. 5 : 30).
- Je suis une nouvelle création (2 Cor. 5 : 17).
- Je suis réconcilié avec Dieu et j'ai un ministère de réconciliation (2 Cor. 5 : 18-19).
- Je suis un fils de Dieu, je suis un en Christ (Gal. 3 : 26, 28).
- Je suis un héritier de Dieu parce que je suis un fils de Dieu (Gal. 4 : 6-7).
- Je suis un saint (Éph. 1 : 1 ; 1 Cor. 1 : 2 ; Phil. 1 : 1 ; Col. 1 : 2).
- Je suis l'ouvrage – l'œuvre – de Dieu, né de nouveau en Christ pour accomplir son œuvre (Éph. 2 : 10).
- Je suis concitoyen des saints, membre de la famille de Dieu (Éph. 2 : 19).
- Je suis un prisonnier du Christ (Éph. 3 : 1 ; 4 : 1).
- Je suis juste et saint (Éph. 4 : 24).

- Je suis un citoyen des cieux, assis dans les lieux célestes dès maintenant (Phil. 3 : 20 ; Éph. 2 : 6).
- Je suis caché avec Christ en Dieu (Col. 3 : 3).
- Je suis une expression de la vie de Christ parce qu'il est ma vie (Col. 3 : 4).
- Je suis choisi par Dieu, saint et bien-aimé (Col. 3 : 12 ; 1 Thes. 1 : 4).
- Je suis un fils de la lumière et non des ténèbres (1 Thes. 5 : 5).
- Je suis un saint participant à une vocation céleste (Héb. 3 : 1).
- Je suis un participant du Christ ; je partage sa vie (Héb. 3 : 14).
- Je suis une des pierres vivantes de Dieu, édifié en Christ pour être une maison spirituelle (1 Pi. 2 : 5).
- Je suis membre de la race élue, du sacerdoce royal, de la nation sainte, du peuple qui appartient exclusivement à Dieu (1 Pi. 2 : 9-10).
- Je suis un étranger et un voyageur dans ce monde dans lequel je vis temporairement (1 Pi. 2 : 11).
- Je suis un ennemi du diable (1 Pi. 5 : 8).
- Je suis un enfant de Dieu et je ressemblerai à Christ quand il reviendra (1 Jean 3 : 1-2).
- Je suis né de Dieu, et le malin – le diable – ne peut pas me toucher (1 Jean 5 : 18).
- Je ne suis pas « Celui qui est » (Exode 3 : 14 ; Jean 8 : 24, 28, 58), mais par la grâce de Dieu, je suis ce que je suis (1 Cor. 15 : 10).

Parce que nous sommes en Christ, chacune de ces caractéristiques est parfaitement vraie pour nous, et nous ne pouvons rien faire pour les rendre plus vraies. Par contre, nous pouvons donner plus de sens à ces aspects et les rendre plus productifs dans notre vie, en choisissant simplement de croire ce que Dieu a dit à notre sujet. Un des meilleurs moyens de grandir vers la maturité en Christ consiste à continuellement nous rappeler qui nous sommes en Christ. Lors de mes conférences, nous le faisons en lisant à haute voix la liste « Qui suis-je ? ». Je suggère que vous reveniez en arrière et que vous la lisiez maintenant à haute voix pour vous-même. Lisez la liste une ou deux fois par jour pendant une semaine ou deux. Lisez-la quand vous pensez que Satan essaie de vous faire croire que vous êtes un pitoyable bon à rien. Plus vous affirmez qui vous êtes en Christ, plus votre comportement commencera à refléter votre vraie identité.

> *Nous étions têtus et grincheux, faibles et désespérés, totalement incapables de nous valoriser devant Dieu par nous-mêmes. Mais l'amour de Dieu a surmonté notre incapacité.*

Un homme avait parcouru plusieurs centaines de kilomètres pour participer à une de mes conférences. Sur le chemin du retour, il décida d'utiliser la liste « Qui suis-je ? » comme liste personnelle de prière. En roulant, il pria pour chaque caractéristique une par une en demandant à Dieu de les marquer au fer rouge dans sa pensée. Le trajet dura presque cinq heures, et il pria pour ces affirmations jusqu'au bout ! Quand on lui demanda quelles furent les conséquences de cette expérience dans sa vie, il répondit simplement en souriant : « C'était bouleversant ».

Un de mes étudiants, qui assistait à un cours sur ce sujet à la faculté de théologie, luttait avec son identité en Christ. À la fin du cours, il m'envoya cette lettre :

Cher M. Anderson :
En relisant les notes du cours de ce semestre, je me rends compte que j'ai été libéré et éclairé de plusieurs manières. Pour moi, le plus important dans le cours fut la découverte de ma valeur et de ma sécurité en Christ, ainsi que de son accueil. En méditant mes notes, j'ai découvert que je pouvais surmonter de nombreux problèmes avec lesquels je lutte depuis des années – la peur de

l'échec, le sentiment de ne pas avoir de valeur, de ne pas être à la hauteur.

Dans la prière, j'ai commencé à étudier les affirmations de la liste « Qui suis-je ? », donnée en classe. Je suis revenu à cette liste plusieurs fois pendant le semestre, surtout quand j'étais attaqué : quand j'avais peur ou que je me sentais incapable. J'ai également pu partager ces idées dans un groupe à l'église et plusieurs de ce groupe ont également découvert une nouvelle liberté dans leur vie. Je ne peux pas exprimer tout l'enthousiasme que je ressens de pouvoir aider des personnes à comprendre qui elles sont réellement en Christ. Dans mon ministère futur, j'ai l'intention d'en faire une partie essentielle de mon enseignement.

Être un enfant de Dieu, quel espoir lumineux !

En tant qu'enfants du premier Adam pécheur, nous étions têtus et grincheux, faibles et désespérés, totalement incapables de nous valoriser devant Dieu par nous-mêmes. Mais l'amour de Dieu a surmonté notre incapacité. En Christ, Dieu nous a donné un moyen de faire partie de sa famille. En tant qu'enfants adoptés de Dieu, nous avons reçu une nouvelle identité et un nouveau nom. Nous ne sommes plus des orphelins spirituels ; nous sommes des fils ou des filles de Dieu. En tant qu'enfants dans la famille de Dieu, nous sommes les bénéficiaires de sa nature et de ses richesses, comme l'est son Fils premier-né.

Si vous commencez à croire que vous êtes spécial parce que vous êtes chrétien, vous avez raison – vous *êtes* spécial ! Ceci ne résulte pas de ce que vous auriez pu faire, bien sûr. Vous n'avez fait que répondre à l'invitation de Dieu à devenir son enfant. Mais en tant qu'enfant de Dieu, uni à Dieu en étant en Christ, vous avez tous les droits de profiter de votre relation spéciale avec votre nouveau Père.

Est-ce important de savoir qui nous sommes en Christ ? Une quantité de chrétiens luttent dans leurs comportements quotidiens, parce qu'ils agissent avec une fausse perception d'eux-mêmes. Ils se considèrent comme des pécheurs qui espèrent atteindre le ciel par la grâce de Dieu, mais ils n'arrivent pas à surmonter leurs tendances au péché. Pourquoi ne peuvent-ils pas vivre une vie chrétienne victorieuse ? Parce qu'ils ont une fausse perception de leur identité en Christ.

Mais regardez, une fois de plus, les mots pleins d'espoir de 1 Jean 3 : 1-3 : « Voyez quel amour le Père nous a donné, puisque nous sommes appelés enfants de Dieu ! Et nous le sommes... Bien-aimés, nous sommes maintenant enfants de Dieu, et ce que nous serons n'a pas encore été manifesté ; mais nous savons que lorsqu'il sera manifesté, nous serons semblables à lui, parce que nous le verrons tel qu'il est. Quiconque a cette espérance en lui se purifie, comme lui (le Seigneur) est pur ».

Quelle est l'espérance du croyant ? Il sera un jour transformé à l'image de Christ ! Mais ce n'est là qu'un espoir futur. Quel est notre espoir pour aujourd'hui et demain ? Nous sommes des enfants de Dieu dès maintenant ! Et celui qui place sa confiance dans le fait qu'il est un enfant de Dieu « se purifie » – il commence à vivre en fonction de cette perception. Laissez-moi vous le répéter : personne ne peut systématiquement vivre d'une manière contraire à la façon dont il se perçoit. Vous devez vous considérer comme des enfants de Dieu pour vivre comme des enfants de Dieu. L'espérance du croyant, avant le retour de Christ, c'est « Christ en vous, l'espérance de la gloire » (Col. 1 : 27).

CHAPITRE 3

Se voir tel que l'on est réellement

Claire participait à une étude biblique pour étudiants universitaires que je dirigeais il y a plusieurs années. Du point de vue physique et matériel, Claire n'avait absolument aucun avantage. Elle était mal proportionnée et son visage était couvert d'acné. Son père alcoolique avait abandonné sa famille alors que sa mère essayait péniblement de survivre avec deux emplois minables. Son frère aîné, drogué, était souvent de passage à la maison.

Quand j'ai rencontré Claire pour la première fois, j'étais sûr qu'elle ferait toujours « tapisserie » dans un groupe. Je ne pensais pas qu'elle pourrait être acceptée par des étudiants attirés principalement par la beauté physique et la réussite matérielle. Mais à ma surprise, j'ai découvert que tous dans le groupe l'aimaient et appréciaient sa présence. Elle avait beaucoup d'amis. Et, en fin de compte, elle épousa le « meilleur » jeune homme du groupe.

Quel était son secret ? Claire croyait simplement ce qu'elle se savait être : une enfant de Dieu. Elle s'acceptait en fonction de ce que Dieu disait d'elle, en Christ. Dès lors elle s'était consacrée avec confiance à accomplir le grand but que Dieu avait fixé pour sa vie : se conformer à l'image de Christ et aimer les autres. Elle n'était une menace pour personne. Au contraire, elle était si positive et attentionnée envers les autres, que tous l'aimaient.

Daniel était un homme dans la trentaine. Il suivait des cours à notre faculté de théologie et s'était spécialisé dans les missions. Je le connaissais à peine, jusqu'à ce qu'il participe à une conférence où je parlais de l'importance capitale de comprendre notre identité spirituelle en Christ. La semaine suivante, il vint me voir et me raconta son histoire.

Daniel avait grandi avec un père qui exigeait la perfection dans tout ce que faisait son fils. Daniel était intelligent, talentueux, mais quels que fussent ses efforts et ses réussites, il semblait toujours incapable de faire plaisir à son père. Cet homme le poussait continuellement à réaliser de meilleures performances.

Pour essayer de satisfaire aux exigences de son père, Daniel passa les examens de l'Académie Navale des États-Unis, et fut accepté dans l'école de pilotes. Il atteignit le but dont de nombreux jeunes gens ne font que caresser le rêve : il devint membre du corps d'élite des pilotes de la marine.

– Après avoir rempli mes obligations auprès de la marine, me raconta Daniel, j'ai décidé que je voulais que ma vie plaise à Dieu. Mais je considérais Dieu comme un perfectionniste céleste, l'ombre de mon père terrestre, et je pensais que la seule façon de répondre à ses attentes était de devenir un missionnaire. Je serai honnête avec vous. Je me suis spécialisé dans les missions pour la même raison que je suis devenu pilote : pour faire plaisir à un Père exigeant. J'ai participé à votre conférence, samedi passé. Je n'avais jamais entendu dire que j'étais complètement accepté par Dieu le Père par le simple fait que je suis en Christ. J'ai toujours travaillé si dur pour lui plaire par mes succès, comme j'essayais de plaire à mon père naturel. Je ne me rendais pas compte que je lui faisais déjà plaisir par mon identité en Christ. Maintenant je sais que je ne dois pas être un missionnaire pour plaire à Dieu, alors je veux changer ma spécialité et choisir la théologie pratique.

Daniel a étudié la théologie pratique pendant environ deux ans. Une occasion se présenta alors de faire partie d'une équipe missionnaire à court terme en Espagne. Quand Daniel rentra de son voyage, il entra en trombe dans mon bureau et me raconta avec enthousiasme son expérience en Espagne.

– Je veux à nouveau changer ma spécialité, conclut-il.

– Les missions, n'est-ce pas ? répondis-je avec le sourire.

– Oui, acquiesça Daniel, rayonnant. Mais je ne le fais pas parce que je le dois. Je sais que Dieu m'accepte totalement comme son enfant. Maintenant j'ai l'intention d'être un missionnaire parce que je l'aime et je veux le servir.

La théologie avant la pratique

Les expériences de Claire et de Daniel illustrent l'importance de fonder notre vie chrétienne sur ce que nous croyons et non sur notre façon d'agir. Nous devons avoir une bonne notion de théologie avant d'avoir du succès dans la pratique. Nous devons comprendre qui nous sommes par rapport à la nature de Dieu et à son œuvre. Un comportement chrétien qui porte des fruits est le produit d'une foi chrétienne solide, et non le contraire.

Le problème réside dans nos tentatives répétées et malheureuses de fonder notre croissance et notre maturité chrétienne sur des passages pratiques des Écritures, alors qu'il faudrait passer plus de temps à intérioriser les passages doctrinaux. Comme vous le savez probablement, la plupart des lettres de Paul se divisent en deux parties principales. La première est généralement appelée la partie doctrinale, comme Romains 1 à 8, Éphésiens 1 à 3, Colossiens 1 à 2, etc. Ces parties révèlent ce que nous devons *savoir* au sujet de Dieu, de nous-mêmes, du péché et du salut. La seconde moitié de chaque lettre est la partie pratique : Romains 12 à 15, Éphésiens 4 à 6, Colossiens 3 à 4. Ces passages décrivent ce que nous devons *faire* pour vivre notre foi au quotidien.

Dans notre zèle à corriger les problèmes dans notre vie – le doute, la tentation, les attaques de Satan, les conflits ou les ruptures dans la famille, dans les relations, dans l'église – nous nous tournons vers les instructions pratiques de la Parole de Dieu. Nous voulons une réparation rapide, une règle ou une instruction que nous pouvons appliquer comme un sparadrap. Nous n'avons pas le temps de débroussailler les principes théologiques plus profonds ; nous voulons une solution pratique, et nous la voulons immédiatement.

Vous avez peut-être déjà découvert qu'une approche «spara-drap» ne vaut rien. Pourquoi? Parce que quand nous ne compre-nons pas les vérités doctrinales concernant notre position en Christ, nous n'avons aucune assise pour réussir dans le domaine pratique. Comment pouvons-nous espérer «tenir ferme contre les manœuvres du diable» (Éph. 6 : 11) si nous n'avons pas intériorisé le fait que nous sommes déjà victorieusement «ressuscités… et (assis) dans les lieux célestes en Christ-Jésus» (Éph. 2 : 6)? Comment pouvons-nous nous réjouir en espérance et persévérer dans les tribulations (Rom. 12 : 12) sans la confiance qui vient de la justification par la foi et la paix avec Dieu par le Seigneur Jésus-Christ (Rom. 5 : 1)? Si notre credo de base concernant Dieu et nous-mêmes est vacillant, notre comportement quotidien le sera aussi. Mais si nos croyances sont stables et notre relation avec Dieu basée sur la vérité, nous aurons peu de difficultés à résoudre les aspects pratiques de la foi au quotidien.

Mettez-vous d'abord en règle avec Dieu

Il y a quelques années, un pasteur que je connaissais me demanda d'aider un couple de son église – l'organiste et sa femme. Je n'ai jamais vu une famille aussi déchirée de ma vie. Ils sont entrés dans mon bureau en hurlant l'un contre l'autre. Leur relation était marquée par l'infidélité et les abus. Ils étaient prêts à quitter mon bureau pour partir dans deux directions opposées.

– Il y a fort à parier que le diable va gagner ce combat-ci, ai-je prié ironiquement. Seigneur, s'il y a un moyen de sauver ce mariage, tu es le seul à le connaître.

Après avoir écouté pendant quelques minutes les critiques amères qu'ils s'adressaient l'un à l'autre, je les ai interrompus.

– Au point où vous en êtes, mes amis, oubliez votre mariage. Il n'y a aucun moyen de le sauver – pas maintenant, et pas dans ces conditions. Mais, je vous en supplie, pouvez-vous vous mettre en règle individuellement avec Dieu en rétablissant votre relation personnelle avec lui?

Ma question a retenu leur attention.

Je me suis tourné vers la femme.

– Pourriez-vous trouver un endroit où vous retirer seule pendant quelque temps ?

Elle réfléchit un instant, puis acquiesça.

– Ma sœur a une maison à la campagne. Je pense qu'elle me permettrait de l'utiliser.

– Bien, voici quelques cassettes que je veux que vous écoutiez. Prenez quelques jours de congé et imprégnez-vous de ces messages. Découvrez qui vous êtes en Christ et engagez-vous à mettre votre vie intérieure déchirée en règle avec lui.

À mon grand étonnement, elle était d'accord. Je demandai au mari de prendre le même engagement et lui donnai les mêmes cassettes. Il donna également son accord. Alors qu'ils quittaient mon bureau, j'avais peu d'espoir de les revoir un jour ensemble.

De nombreux mois plus tard, j'étais assis dans un restaurant après le culte, quand le même homme entra avec ses trois enfants. «Oh non, pensai-je, ils se sont définitivement séparés». J'essayai tant bien que mal de passer inaperçu : j'avais pitié de lui et je ne tenais pas absolument à lui parler. Mais après quelques minutes, sa femme entra dans le restaurant et s'assit à sa table. Ils avaient l'air aussi contents et satisfaits que n'importe quelle autre famille chrétienne. J'étais vraiment perplexe.

Tout à coup, le couple regarda dans ma direction, me reconnut et quitta sa table pour venir me voir.

– Bonjour, Neil, nous sommes contents de vous voir, me saluè-rent-ils gaiement.

– Moi aussi, je suis content de vous voir tous les deux.

En réalité, je voulais dire : «Je suis content de vous voir tous les deux *ensemble*».

– Comment allez-vous ?

Je n'aurais pas été étonné d'apprendre qu'ils étaient divorcés et qu'ils se rencontraient au restaurant pour le bien des enfants.

– Nous allons très bien, répondit la femme. J'ai fait ce que vous m'avez dit de faire. J'ai été à la campagne seule pendant deux semaines, j'ai écouté vos cassettes et j'ai mis ma vie en ordre avec Dieu.

Satan essayera de vous convaincre que vous êtes une personne indigne, inacceptable, malade du péché, qui n'arrivera jamais à rien aux yeux de Dieu.

– J'ai fait la même chose, ajouta son mari. Et nous avons pu résoudre les problèmes de notre mariage.

Nous nous sommes réjouis ensemble de ce que Dieu avait fait pour eux, d'abord en tant qu'individus et ensuite en tant que famille.

Ce couple a découvert que pour se mettre en règle l'un avec l'autre, ils devaient commencer par se mettre en règle avec Dieu. Et pour se mettre en règle avec Dieu il faut d'abord établir une fois pour toutes que Dieu est notre Père plein d'amour et que nous sommes acceptés comme son enfant. C'est une vérité fondamentale pour notre identité spirituelle. Vous êtes un enfant de Dieu, vous êtes créé à son image, vous avez été déclaré juste par lui à cause de votre foi en Christ. Tant que vous croirez cela et que vous marcherez en conséquence, votre vie chrétienne connaîtra une croissance. Mais si vous détournez les yeux de votre identité, et que vous essayez de gagner par votre expérience quotidienne l'accueil que Dieu vous a déjà offert, vous serez toujours en lutte. Nous ne servons pas Dieu pour gagner son acceptation ; nous sommes acceptés, c'est pourquoi nous servons Dieu. Nous ne le suivons pas pour pouvoir être aimés ; nous sommes aimés, c'est pourquoi nous le suivons.

C'est pour cette raison que nous sommes appelés à vivre par la foi (Rom. 1 : 16-17). L'essentiel d'une vie chrétienne victorieuse consiste à croire ce qui est déjà vrai à notre sujet. Avons-nous le choix ? Bien sûr ! Satan essayera de nous convaincre que nous sommes des personnes indignes, inacceptables, enclines à pécher et que nous n'arriverons jamais à rien aux yeux de Dieu. Est-ce que nous le sommes ? Non, nous ne le sommes pas ! Nous sommes des saints que Dieu a déclarés justes. Croire au mensonge de Satan nous emprisonnera dans une vie triste et stérile. Mais croire en la vérité de Dieu concernant notre identité nous rendra libre.

Les conséquences de la grâce de Dieu

La liste suivante complète celle du chapitre 2 qui s'intitulait : « Qui suis-je ? » Les affirmations ci-dessous décrivent encore davantage notre identité en Christ. Lisez cette liste à voix haute jusqu'à ce qu'elle fasse partie de vous. Priez occasionnellement avec cette liste, en demandant à Dieu de cimenter ces vérités dans votre cœur :

Parce que je suis en Christ, par la grâce de Dieu…
* J'ai été justifié – complètement pardonné et rendu juste (Rom. 5 : 1).
* Je suis mort avec Christ et je suis mort au péché comme puissance sur ma vie (Rom. 6 : 1-6).
* Je suis libre de la condamnation (Rom. 8 : 1).
* J'ai été placé en Christ par l'action de Dieu (1 Cor. 1 : 30).
* J'ai reçu l'Esprit de Dieu dans ma vie pour que je puisse connaître les choses que Dieu m'a données librement (1 Cor. 2 : 12).
* J'ai reçu la pensée de Christ (1 Cor. 2 : 16).
* J'ai été acheté à un grand prix ; je ne m'appartiens pas ; je suis à Dieu (1 Cor. 6 : 19-20).
* J'ai été établi, oint et scellé par Dieu en Christ, et j'ai reçu le Saint-Esprit comme gage de mon héritage futur (2 Cor. 1 : 22 ; Éph. 1 : 13-14).
* Parce que je suis mort, je ne vis plus pour moi-même, mais pour Christ (2 Cor. 5 : 14-15).
* J'ai été rendu juste (2 Cor. 5 : 21).
* J'ai été crucifié avec Christ et ce n'est plus moi qui vis, mais Christ qui vit en moi. La vie que je vis maintenant est la vie de Christ (Gal. 2 : 20).
* J'ai été béni de toute bénédiction spirituelle (Éph. 1 : 3).
* J'ai été élu en Christ avant la fondation du monde pour être saint et je suis sans tache devant lui (Éph. 1 : 4).
* J'ai été prédestiné – déterminé par Dieu – à être adopté comme fils de Dieu (Éph. 1 : 5).

- J'ai été racheté et pardonné, je suis bénéficiaire de sa grâce abondante.
- J'ai été rendu à la vie avec le Christ (Éph. 2 : 5).
- J'ai été ressuscité et je suis assis dans les lieux célestes en Christ-Jésus (Éph. 2 : 6).
- J'ai un accès direct auprès de Dieu par l'Esprit (Éph. 2 : 18).
- Je peux m'approcher de Dieu avec audace, liberté et confiance (Éph. 3 : 12).
- J'ai été délivré du royaume gouverné par Satan et transféré dans le royaume de Christ (Col. 1 : 13).
- J'ai été racheté et pardonné de tous mes péchés. Ma dette a été annulée (Col. 1 : 14).
- Christ lui-même est en moi (Col. 1 : 27).
- Je suis fermement enraciné en Christ et je suis maintenant édifié en lui (Col. 2 : 7).
- J'ai été circoncis spirituellement (Col. 2 : 11).
- Je suis épanoui en Christ (Col. 2 : 10).
- J'ai été enterré, ressuscité et rendu vivant avec Christ (Col. 2 : 12-13).
- Je suis mort avec Christ et je suis ressuscité avec Christ. Ma vie est désormais cachée avec Christ en Dieu. Maintenant, Christ est ma vie (Col. 3 : 1-4).
- J'ai reçu un esprit de puissance, d'amour et d'autodiscipline (2 Tim. 1 : 7).
- J'ai été sauvé et mis à part par l'œuvre de Dieu seul (2 Tim. 1 : 9 ; Tite 3 : 5).
- Parce que je suis sanctifié et uni à celui qui sanctifie, il n'a pas honte de m'appeler frère (Héb. 2 : 11).
- J'ai le droit de venir avec confiance devant le trône de Dieu pour trouver miséricorde et grâce quand je suis dans le besoin (Héb. 4 : 16).
- J'ai reçu les plus grandes et les plus précieuses promesses de Dieu ; par elles je deviens participant à la nature divine (2 Pi. 1 : 4).

Récemment, un pasteur qui participait à l'une de mes conférences sur la résolution des conflits spirituels me prit à part après la session. Ses remarques confirmèrent ma conviction : une bonne compréhension de notre identité spirituelle est la clé maîtresse pour résoudre nos conflits quotidiens.

– Une femme de notre église est venue me voir cette semaine, commença-t-il. Elle a beaucoup de difficultés avec son mari alcoolique. Au bout du rouleau, elle se sentait terriblement abattue. Elle est venue me dire qu'elle voulait mettre fin à son mariage. J'ai sorti la liste d'affirmations qui déclarent qui nous sommes en Christ. Je lui ai dit de la lire à haute voix.

Elle a lu la moitié, a commencé à pleurer et s'est exclamé :

– Je ne me suis jamais rendu compte que tout ceci était vrai pour moi. Après tout, il y a peut-être de l'espoir.

N'est-ce pas incroyable que la perception de votre identité fasse une si grande différence dans la façon dont vous faites face aux conflits et aux défis de votre vie ? Il est impératif pour votre croissance et votre maturité de croire ce que Dieu dit à votre sujet.

La différence entre la relation et la communion

Avec toutes ces allusions à l'accueil total que Dieu nous fait en Christ, vous vous demandez peut-être : « Qu'arrive-t-il à cette relation idéale avec Dieu lorsque nous péchons ? Dieu nous accepte-t-il avec cet échec ? » Laissez-moi vous répondre par une illustration très simple.

Lorsque je suis né physiquement, j'avais un père. Il s'appelait Marvin Anderson. Comme je suis son fils, non seulement je porte son nom, mais son sang coule également dans mes veines. Marvin Anderson et Neil Anderson sont parents par le sang.

Est-ce qu'une de mes actions pourrait changer mon lien de sang avec mon père ? Si je quittais la maison ou changeais mon nom ? Je serais toujours le fils de Marvin Anderson. Et s'il me chassait de la maison ? Ou s'il me déshéritait ? Serais-je encore son fils ? Bien sûr ! Nous sommes parents par le sang et personne ne peut le changer.

Mais, est-ce qu'une de mes actions pourrait troubler l'harmonie de notre relation père-fils ? Oui, bien sûr – et à l'âge de cinq ans, j'avais déjà découvert tous les moyens de le faire ! Ma relation avec mon père n'a jamais été en danger, mais l'harmonie de notre relation a été interrompue à de nombreuses reprises à cause de mon comportement.

Quel était l'élément déterminant de l'harmonie avec mon père ? L'obéissance. Notre relation m'était assurée à vie quand je suis né dans la famille de mon père. Mais l'harmonie de notre relation a très souvent été remise en cause suite à mes mauvais comportements. J'ai découvert très tôt dans la vie que si j'obéissais à papa, je vivais en harmonie avec lui. Si je ne lui obéissais pas, nous étions en désaccord. Par contre, il restait toujours mon père, que nous étions ou non en harmonie.

Il en est de même dans le domaine spirituel. Lors de ma nouvelle naissance, je suis devenu un membre de la famille de Dieu. Dieu est mon Père et je partage une relation éternelle avec lui par le sang de Christ (1 Pi. 1 : 18-19). En tant que fils de Dieu, mes actes peuvent-ils modifier ma relation avec lui ? Je suis conscient que ma réponse à cette question pourrait heurter la sensibilité théologique de certains. La question de la sécurité éternelle est encore débattue parmi les chrétiens aujourd'hui. Je pense néanmoins que je suis lié à Dieu le Père par la naissance spirituelle et que rien ne peut remettre en cause ce lien de sang. Paul demande dans Romains 8 : 35 : « Qui nous séparera de l'amour de Christ ? » Il répond ensuite qu'aucune chose créée « ne pourra nous séparer de l'amour de Dieu en Christ-Jésus notre Seigneur » (Rom. 8 : 39). Jésus a déclaré : « Mes brebis entendent ma voix… Je leur donne la vie éternelle ; elles ne périront jamais, et personne ne les arrachera de ma main » (Jean 10 : 27-28). Je suis un enfant de Dieu, né de nouveau, en union spirituelle avec lui par sa grâce que j'ai reçue par la foi. Ma relation avec Dieu a été définitivement fixée quand je suis né dans sa famille.

Mais est-ce que mes actions peuvent troubler l'*harmonie* de ma relation avec Dieu ? Bien sûr. L'harmonie avec Dieu dépend du même élément que l'harmonie avec mon père terrestre : l'obéissance. Quand j'obéis à Dieu, je vis en harmonie avec lui. Quand je ne lui obéis pas, l'harmonie de notre relation est perturbée et, en général, ma vie devient pénible. J'aime mon Père céleste et je veux vivre en harmonie avec lui, je m'efforce donc de lui obéir. Mais même lorsque nous sommes en désaccord à cause de ma désobéissance, ma relation avec lui n'est pas mise en doute, parce que nous sommes liés par le sang de Jésus-Christ.

À quoi devons-nous donc consacrer nos efforts pour atteindre la croissance et la maturité spirituelles ? Nous ne devons pas nous pré-occuper de notre relation avec Dieu, parce que nous ne pouvons rien faire pour l'améliorer : nous devons simplement continuer à croire qu'elle est réelle. Nous sommes ni plus ni moins enfants de Dieu. Nous ne pouvons pas devenir davantage enfants de Dieu, nous le sommes déjà par notre naissance spirituelle. La seule chose que nous pouvons améliorer, c'est l'harmonie de notre relation avec Dieu, en nous efforçant de lui obéir promptement.

Considérez les autres comme des saints

Un pasteur est venu me voir un jour en demandant :

– Qu'est-ce que je peux faire pour quitter mon église ?

– Pourquoi voulez-vous la quitter ? lui demandai-je. Qu'est-ce qui ne va pas dans votre église ?

– Mon église, c'est une bande de losers !

– Des losers ? Je me demande si ce sont vraiment des losers ou s'ils se considèrent comme des losers parce que *vous* les prenez pour des losers.

Il était d'accord que ma dernière observation était probable-ment la bonne. Et il avait raison, parce qu'il n'y a pas de losers dans le royaume de Dieu – absolument aucun. Comment un enfant de Dieu pourrait-il être appelé un loser ? Tout comme il est important pour vous de croire en votre identité réelle, il est tout aussi important que vous considériez les autres chrétiens pour ce qu'ils sont et que vous les traitiez en conséquence. Je crois que ce qui détermine la manière dont nous nous comportons avec les gens, c'est notre façon de les percevoir. Si nous les considérons comme des losers, nous croirons petit à petit qu'ils sont des losers. Et si nous croyons qu'ils sont des losers, nous les traiterons comme tels, ils refléteront notre comportement et agiront comme des losers. Mais si nous considérons nos frères et sœurs comme des saints, nous les traiterons comme des saints et ils agiront comme des saints, ce qui leur fera le plus grand bien.

Comment exprimons-nous notre perception des autres ? Principalement par ce que nous leur disons. Des études ont montré que, dans une famille moyenne, pour chaque remarque positive, un enfant reçoit 10 remarques négatives.

L'environnement scolaire n'est que légèrement meilleur : les élèves entendent sept remarques négatives de leurs professeurs pour chaque remarque positive. Il n'est pas étonnant que tant d'enfants grandissent en se considérant comme des losers. Les parents et les professeurs leur communiquent chaque jour ce sentiment à travers la manière de leur parler.

Ces études indiquent également qu'il faut quatre remarques positives pour neutraliser l'effet d'une remarque négative. Vous pourrez probablement confirmer ces recherches chaque fois que vous portez une nouvelle robe ou un nouveau costume. Certains de vos amis pourraient dire : « Quel bel ensemble ! » Mais il suffit d'une seule remarque « Ce n'est vraiment pas ton style » pour vous faire courir au magasin et tenter de vous faire rembourser. Nos paroles ont beaucoup d'effet sur les autres, et elles sont largement déterminées par la façon dont nous les percevons.

Le Nouveau Testament affirme clairement que nous sommes des saints qui pèchent. Un enfant de Dieu qui dit ne pas pécher est appelé un menteur (1 Jean 1 : 8). Mais nous ne devons pas nous fixer sur les péchés des uns et des autres. Au contraire, nous sommes appelés à déceler chez les autres notre nature semblable à Christ, à nous considérer mutuellement comme des saints, et à nous édifier les uns les autres. En fait, si nous pouvions mémoriser un seul verset du Nouveau Testament, le mettre en pratique et ne jamais l'enfreindre, je crois que nous pourrions résoudre les trois quarts des problèmes que nous rencontrons à la maison et à l'église. Il s'agit d'Éphésiens 4 : 29 : « Qu'il ne sorte de votre bouche aucune parole malsaine, mais s'il y a lieu, quelque bonne parole qui serve à l'édification nécessaire et communique une grâce à ceux qui l'entendent ».

Si nous pouvions nous édifier les uns les autres comme le demande Éphésiens 4:29, nous pourrions faire partie de l'équipe de construction de Dieu dans l'Église, au lieu d'être membres de l'équipe de démolition de Satan.

N'est-ce pas étonnant que vous et moi, nous ayons le pouvoir de communiquer une grâce aux autres par un bon usage de nos paroles ? Si nous pouvions ne rien dire pour abaisser les autres et uniquement nous édifier les uns les autres comme le demande Éphésiens 4:29, nous pourrions faire partie de l'équipe de construction de Dieu dans l'Église, au lieu d'être membres de l'équipe de démolition de Satan.

Croire ce que l'on est

J'ai pu observer un des revirements les plus spectaculaires chez une personne troublée dans son identité spirituelle. J'ai rencontré Jennifer il y a quelques années lors d'une conférence. Les organisateurs m'avaient fixé un certain nombre de rendez-vous entre les sessions et Jennifer était l'un d'eux. Ils ne m'avaient pas dit que Jennifer venait me voir directement après une visite chez un médecin. Elle ne savait pas qu'elle avait rendez-vous avec moi et venait contre sa volonté. C'était le pire des scénarios pour une relation d'aide.

À vingt-trois ans, Jennifer était une jolie jeune fille chrétienne avec une personnalité apparemment agréable. Elle avait des parents affectueux et venait d'une bonne église. Mais, déchirée intérieurement, elle n'avait jamais connu qu'une vie de dépression. Elle avait échoué à l'université et ses employeurs actuels étaient sur le point de la licencier. En outre, elle souffrait de désordres alimentaires depuis plusieurs années et les traitements médicaux semblaient inutiles.

Jennifer et moi avons parlé pendant presque deux heures lors de cette première rencontre. Elle affirmait être chrétienne, je lui ai donc présenté comme un défi les vérités bibliques concernant son identité en Christ. Je ne savais pas si elle me comprenait ou non, mais j'ai continué à partager avec elle la bonne nouvelle de son identité spirituelle. Finalement, elle me dit :

– Êtes-vous toujours si positif ?

– Il ne s'agit pas d'être positif, lui ai-je répondu. Il s'agit de croire la vérité. À cause de ton union spirituelle avec Dieu, voici qui tu es en Christ.

Un peu plus tard, Jennifer me quitta avec une faible lueur d'espoir dans les yeux.

De retour chez moi, une idée me vint à l'esprit – inspirée, je pense, par le Saint-Esprit. J'étais en pleine préparation pour une retraite spirituelle d'un mois organisée pour certains de nos étudiants de faculté. Nous voulions que cette retraite soit une expérience chrétienne intense et très relationnelle, et j'ai tout à coup compris qu'il serait bon pour Jennifer d'y participer, bien qu'elle ne soit pas étudiante à la faculté. Je l'ai invitée et, miraculeusement, elle a décidé de venir. Le magasin où elle travaillait lui a même donné un mois de congé pour y participer !

Peu de temps après notre arrivée, je me suis entretenu avec Jennifer en privé.

– Je ne t'ai pas invitée ici pour changer ton comportement, Jennifer, lui dis-je. Ton comportement n'est pas le problème.

– On m'a toujours dit que mon comportement *était* le problème, répondit-elle, un peu surprise par ma remarque. Tous ceux que je connais essayent de changer mon comportement.

– Je ne me préoccupe pas de ton comportement. Ce qui m'intéresse, c'est ce que tu crois. Je veux changer ta vision de Dieu et ta conception de ce que tu es en Christ. Tu n'es pas une perdante, tu n'es pas quelqu'un de malade qui est un poids pour tes parents et ton église. Tu es une enfant de Dieu, ni meilleure ni pire que tout autre participant à cette retraite. Je veux que tu commences à le croire parce que c'est vrai.

Pour la première fois de sa vie, Jennifer entendait qu'elle avait de la valeur aux yeux de Dieu. Et elle commença à le croire. Pendant les 30 jours suivants, alors qu'elle étudiait la Bible, priait et rencontrait d'autres étudiants qui l'encourageaient, une transformation miraculeuse se produisit. Les changements étaient même renversants.

Après que Jennifer soit rentrée chez elle, son père rayonnait :
– Je n'ai jamais vu Jennifer si heureuse et si satisfaite. Elle a tellement changé !

Elle avait changé aussi sur son lieu de travail. Après deux semaines, son patron l'appela dans son bureau et lui montra le rapport qu'il avait préparé pendant son absence. Il était tellement mauvais qu'elle méritait d'être renvoyée.

– Mais tu n'es plus la même, Jennifer, ajouta son patron. J'ai décidé de ne pas te renvoyer. Au contraire, je vais te donner une augmentation !

Qu'est-ce qui a changé en Jennifer ? Ses idées au sujet de Dieu et d'elle-même. Elle était déjà une enfant de Dieu par la foi. Mais elle commença à marcher par la foi, en se considérant comme ce qu'elle était réellement en Christ. Son comportement se modifia pour devenir conforme à la vérité de son identité spirituelle. Le comportement de Jennifer continuera-t-il de s'améliorer ? Oui, tant qu'elle continuera à croire Dieu et à vivre en harmonie avec lui en obéissant à ses commandements. Peut-elle revenir à ses vieilles habitudes si elle arrête de croire Dieu et de lui obéir ? Malheureusement, oui.

Vous êtes un enfant de Dieu, juste et accepté. Quel que soit l'enseignement que vous avez reçu ou ce que vous pensez de vous-même, votre identité est une vérité biblique solide. Lisez et relisez les affirmations concernant votre identité, citées dans ces deux chapitres. Retrouvez-vous en elles. Croyez en elles. Marchez en elles. Et votre comportement de chrétien se conformera à ce que vous croyez alors que vous marchez par la foi.

CHAPITRE 4

De l'ancien et du nouveau

Nous avons déjà vu que l'identité spirituelle du chrétien est basée sur cette vérité biblique : nous sommes des saints qui pèchent et non des pécheurs. À cause de la grâce de Dieu et de notre foi en Christ, nous sommes nés de nouveau, spirituellement vivants et nous partageons une union spirituelle avec Dieu comme Adam et Ève la connaissaient avant la chute. Étant *en* Christ, nous sommes déclarés justes et complètement acceptables aux yeux de Dieu. Une bonne compréhension de cette vérité et une vie vécue en fonction de notre identité en Christ sont à la base de la croissance et de la maturité chrétiennes.

Mais nous avons aussi réalisé que, malgré ce que Dieu nous a acquis en Christ, notre comportement n'atteint pas la perfection. Nous sommes des saints, mais nous péchons. Notre position en Christ est réglée et solide. Mais nos actes quotidiens sont souvent marqués par l'échec et la désobéissance qui nous déçoivent et perturbent l'harmonie de notre relation avec Dieu. Voilà le grand dilemme chrétien. Nous soupirons avec l'apôtre Paul : « Je ne fais pas le bien que je veux, mais je pratique le mal que je ne veux pas… Malheureux que je suis ! Qui me délivrera de ce corps de mort ? » (Rom. 7 : 19, 24).

Pour essayer d'expliquer cette désobéissance qui perturbe si souvent notre désir de sainteté, nous utilisons des mots assez menaçants tels que « vieille nature », « vieil homme », « chair » et « péché ». Mais, en réalité, que veulent dire ces mots ? Sont-ils différents l'un de l'autre ou présentent-ils les éléments interchangeables d'un même problème ? Sommes-nous – nous les saints – sans le savoir les victimes de notre vieille nature, de notre vieil homme et de notre chair pécheresse ?

Je conviens que c'est là un domaine théologique difficile. Les experts bibliques luttent avec ces questions depuis des siècles et je ne veux aucunement prétendre posséder les réponses définitives. Mais dans ce chapitre, j'aimerais explorer certains de ces mots qui plongent souvent les chrétiens dans la confusion, alors qu'ils essayent de régler le problème du péché dans leur vie de saint. Une meilleure compréhension biblique de ces mots nous aidera certainement à mieux saisir notre identité et ouvrira la voie pour de plus grands pas dans la croissance chrétienne.

Suis-je le ballon dans un match entre deux natures ?

Vous avez peut-être entendu l'illustration des deux chiens. Certains disent que nous avons deux natures qui luttent pour dominer notre vie. Ils affirment que notre vieille nature pécheresse, héritée de la désobéissance d'Adam, est comme un grand chien noir. Notre nouvelle nature, héritée par l'œuvre rédemptrice de Christ, est comme un grand chien blanc. Ces deux chiens sont des ennemis acharnés, décidés à se détruire l'un l'autre. Chaque fois que nous nous laissons aller à des pensées ou des comportements du monde, nous nourrissons le chien noir. Chaque fois que nous consacrons nos pensées et nos activités à des choses spirituelles, nous nourrissons le chien blanc. Le chien que nous nourrissons le plus deviendra éventuellement plus fort et dominera l'autre.

Cette illustration peut être un instrument utile pour motiver les chrétiens à un comportement plus saint, mais est-elle bibliquement fondée ? Puisque Dieu nous a « délivrés du pouvoir des ténèbres et nous a transportés dans le royaume de son Fils bien-aimé » (Col. 1 : 13), pouvons-nous tout de même vivre dans les deux royaumes ? Dieu déclare que nous ne sommes « plus sous l'emprise de la chair, mais sous celle de l'Esprit » (Rom. 8 : 9) ; peut-on alors être sous la chair et sous l'Esprit simultanément ? Dieu dit : « autrefois vous étiez ténèbres, mais maintenant vous êtes lumière dans le Seigneur » (Éph. 5 : 8) ; peut-on être à la fois lumière et ténèbres ? Dieu affirme : « Si quelqu'un est en Christ, il est une nouvelle créature. Les choses anciennes sont passées ; voici toutes choses sont devenues nouvelles » (2 Cor. 5 : 17) ; peut-on être en partie une nouvelle créature et en partie une vieille créature ?

Si vous croyez que vous êtes en partie lumière et en partie ténèbres, en partie saint et en partie pécheur, vous vivrez d'une manière très médiocre et peu de choses vous distingueront des nonchrétiens. Vous pourrez peut-être confesser votre tendance au péché et vous efforcer de faire mieux, mais vous vivrez continuellement dans la défaite parce que vous vous percevrez comme un pécheur sauvé par grâce, qui tient le coup jusqu'à l'enlèvement. Satan sait qu'il ne peut rien faire contre ce que vous êtes réellement, mais s'il peut vous faire croire que vous n'êtes pas différent de l'homme naturel, il le fera et, dans ce cas, vous agirez comme tel.

Pourquoi cette description correspond-elle à tant de chrétiens ? Parce que nous ignorons notre identité réelle en Christ. L'œuvre expiatoire de Dieu, qui transforme les pécheurs en saints, est sa plus grande réalisation sur terre. Le changement radical, la régénération, se produit au moment du salut. Le changement progressif dans la marche quotidienne du croyant, la sanctification, continue toute la vie. Mais l'œuvre progressive de la sanctification n'est pleinement efficace que lorsque la transformation interne et radicale de la régénération est accomplie et appropriée par la foi.

– Mais n'ai-je pas lu quelque part que Paul se considérait comme le premier des pécheurs ? pourriez-vous demander.

Oui, mais il faisait allusion à sa nature *avant* sa conversion à Christ (1 Tim. 1 : 12-16). Dans 1 Corinthiens 15 : 9, Paul fait une remarque semblable où il se rabaisse lui-même, mais il continue en disant : « Par la grâce de Dieu je suis ce que je suis, et sa grâce envers moi n'a pas été vaine » (v. 10). Paul savait que celui qu'il était *avant* de connaître Christ et celui qu'il était devenu *en* Christ étaient deux identités distinctes.

La nature du sujet

Que dit précisément la Bible concernant notre nature ? Le mot grec traduit par « nature » n'est utilisé dans ce sens que deux fois dans le Nouveau Testament. Éphésiens 2 : 1-3 décrit la nature que nous partagions tous avant de venir à Christ : « Pour vous, vous étiez morts par vos fautes et par vos péchés dans lesquels vous marchiez autrefois selon le cours de ce monde, selon le prince de la puissance de l'air, cet esprit qui agit maintenant dans les fils de la rébellion. Nous tous aussi, nous étions de leur nombre et nous nous conduisions autrefois selon nos convoitises charnelles, nous exécutions les volontés de notre chair et de nos pensées, et nous étions par nature des enfants de colère comme les autres ».

Quelle était notre nature fondamentale avant de naître de nouveau spirituellement ? Nous et tous les autres chrétiens, « nous étions par nature des enfants de colère », morts au péché, assujettis à la puissance de Satan, vivant dans le seul but de satisfaire nos désirs et nos mauvais penchants. Telle est la condition de tous les non-croyants aujourd'hui.

Ce mot apparaît pour la seconde fois en 2 Pierre 1 : 3-4 pour décrire notre nature après être venu à Christ : « Sa divine puissance nous a donné tout ce qui contribue à la vie et à la piété, en nous faisant connaître celui qui nous a appelés par sa propre gloire et par sa vertu. Par elles les promesses les plus précieuses et les plus grandes nous ont été données, afin que par elles nous devenions participants de la nature divine, en fuyant la corruption qui existe dans le monde par la convoitise ».

Quand je suis entré en union spirituelle avec Dieu par la nouvelle naissance, je n'ai pas *ajouté* une nouvelle nature à l'ancienne, je suis devenu une nouvelle personne. Le salut n'est pas une addition mais une transformation. Le salut ne se limite pas au pardon des péchés par Dieu et à un passeport pour le ciel quand nous mourrons. Le salut, c'est la régénération. Dieu nous a fait passer des ténèbres à la lumière ; le pécheur est devenu un saint. Il y a quelque chose de nouveau en nous qu'il n'y avait pas auparavant. Si Dieu n'avait pas changé notre identité à la conversion, nous serions réduits à garder notre vieille identité jusqu'à la mort. Comment pourrions-nous espérer grandir en maturité si nous ne sommes pas dès le départ un enfant de Dieu transformé? Le fait de devenir participant de la nature de Dieu est un élément fondamental de l'identité et de la maturité du chrétien.

Le jeune chrétien est comme un morceau de charbon : laid, un peu fragile et sale. Toutefois, avec le temps et les pressions le charbon durcit et il devient beau. Même si le morceau de charbon à l'origine n'est pas un diamant, il a la bonne composition pour le devenir : le diamant est constitué à 100 % de charbon ! Si c'était un mélange d'argile et de charbon, ce ne serait pas un diamant à l'état brut. Anthony Hoekema ajoute : « Vous êtes désormais de nouvelles créatures ! Pas totalement nouvelles, bien sûr, mais authentiquement nouvelles. Et nous qui sommes croyants devons nous considérer de cette manière : nous ne sommes plus des esclaves du péché, dépravés et faibles, mais nous avons été recréés en Christ Jésus ».

Soit l'un soit l'autre

Éphésiens 5 : 8 décrit le changement essentiel dans notre nature lors de notre conversion : « Autrefois, en effet, vous étiez ténèbres, mais maintenant vous êtes lumière dans le Seigneur. Marchez comme des enfants de lumière ». Il ne dit pas que nous étions *dans* les ténèbres ; il dit que nous *étions* ténèbres. Notre nature, notre essence même était ténèbres quand nous étions non croyants. Le texte ne dit pas non plus que nous sommes maintenant *dans* la lumière ; il dit que nous *sommes* lumière. Dieu a transformé notre nature profonde de ténèbres en lumière. Il ne s'agit pas dans ce passage d'améliorer notre nature. Notre nouvelle nature est déjà déterminée. Il s'agit d'apprendre à marcher en harmonie avec notre nouvelle nature. Comment ? En apprenant à marcher par la foi et selon l'Esprit, ce qui fera l'objet des chapitres suivants.

Pourquoi avons-nous besoin de la nature de Christ en nous ? Pour que nous puissions *être* comme Christ, et pas seulement *agir* comme lui. Dieu ne nous a pas donné le pouvoir de l'imiter. Il nous a rendus participants de sa nature pour que nous puissions *être* comme lui. On ne devient pas chrétien en agissant comme un chrétien. Notre relation avec Dieu n'est pas basée sur des performances. Il ne dit pas : « Voici le niveau que j'attends, alors soyez à la hauteur ». Il sait que nous ne pouvons pas résoudre le problème de notre vieille nature pécheresse par une simple amélioration de notre comportement. Il doit changer notre nature, nous donner un être intérieur totalement nouveau – la vie de Christ en nous – ce qui constitue la grâce nécessaire pour atteindre ses exigences.

Jésus poursuivait le même but dans son sermon sur la montagne lorsqu'il dit : « Si votre justice n'est pas supérieure à celle des scribes et des pharisiens, vous n'entrerez pas dans le royaume des cieux » (Matt. 5 : 20). Les scribes et les pharisiens étaient les perfectionnistes de leur époque en matière religieuse. Ils avaient réglé leur comportement comme une science, mais leur cœur ressemblait à l'intérieur d'une tombe : il sentait la mort. Jésus ne s'intéresse qu'à créer des êtres totalement nouveaux, en infusant une nouvelle nature en eux. Ce n'est qu'après avoir été renouvelés par lui dans notre identité et rendus participants de sa nature que nous pouvons changer notre comportement.

Certains ont associé la « vieille nature » à la « chair ». La chair décrit la façon dont j'agissais autrefois, lorsque j'étais un homme naturel. Et puisque cette chair subsiste après la conversion, il leur semble logique que la vieille nature demeure également.

Mais je ne suis plus un être naturel. Je suis un être spirituel en Christ. C'est là ma vraie nature. Néanmoins, quand je choisis de marcher selon ma vieille façon de vivre (celle d'avant ma conversion), un tel comportement contredit ma nouvelle nature. Quand ceci se produit, je me sens coupable parce que mon comportement ne correspond pas à qui je suis réellement. Par contre, si une personne fait quelque chose qu'elle sait être moralement mauvaise, mais ne se sent pas coupable, je doute sérieusement qu'elle soit un enfant de Dieu. Pour le chrétien, la culpabilité est une autre preuve de la présence de la nouvelle nature.

Si vous voulez appeler votre chair votre vieille nature, je ne me chamaillerai pas avec vous sur les mots. Mais je défendrai la vérité biblique selon laquelle les effets résiduels de mon identité en Adam ne font plus partie de mon identité réelle en Christ.

Le vieil homme est-il vivant, mourant ou déjà mort ?

D'une manière générale, tous les non-croyants sont participants à la vieille nature caractérisée par le péché. D'une manière personnelle, avant de venir à Christ, nous faisions partie de ce groupe. Nous étions pécheurs parce que c'était dans notre nature de pécher. L'individu unique que nous étions, différent de tous les autres participants à la vieille nature, était notre vieil être. La version Segond l'appelle « l'homme animal ». Dans 1 Corinthiens 2 : 14, la version à la Colombe l'appelle « l'homme naturel » qui ne peut comprendre ou accepter les choses de l'Esprit.

Qu'il repose en paix

Qu'est-il advenu de notre vieil être à la conversion ? Nous sommes morts – pas physiquement bien sûr –, et ce vieil être intérieur qui était activé par la vieille nature que nous avons héritée d'Adam est mort (Rom. 6 : 2-6 ; Col. 3 : 3). Quelle était la méthode d'exécution ? La crucifixion avec Christ. Romains 6 : 6 dit : « Nous savons que notre vieille nature a été crucifiée avec lui, afin que ce corps de péché soit réduit à l'impuissance et que nous ne soyons plus esclaves du péché ». Paul annonce en Galates 2 : 20 : « Je suis crucifié avec Christ ». Et en Galates 6 : 14, il renonce à toute possibilité de se vanter sauf « de la croix de notre Seigneur Jésus-Christ, par qui le monde est crucifié pour moi, comme je le suis pour le monde ». Lors de la conversion, vous avez été placé en Christ, celui qui est mort sur la croix pour vos péchés. En étant en lui, votre vieille nature est morte avec Christ sur la croix.

> *Le péché et Satan sont toujours dans*
> *les parages, et ils sont forts et attirants. Mais*
> *en vertu de la crucifixion du vieil être, le pouvoir que*
> *Satan exerçait sur nous est rompu.*

Pourquoi le vieil être devait-il mourir ? Romains 6 : 6 nous dit qu'il était indépendant et désobéissant par rapport à Dieu : il devait donc mourir pour que « ce corps de péché soit réduit à l'impuissance et que nous ne soyons plus esclaves du péché ». La mort met fin à une relation, pas à une existence. Le péché n'est pas mort ; il est encore fort et attirant. Mais quand notre vieil être est mort avec Christ sur la croix, notre relation avec le péché a pris fin pour toujours. Nous ne vivons plus « selon la chair » mais « selon Christ » (Rom. 8 : 1). Notre vieil être – le pécheur – et notre vieille nature – caractérisée par le péché qui était inévitable puisque nous étions séparés de Dieu – ont disparu pour toujours parce que nous ne sommes plus séparés de Dieu.

Serions-nous donc sans péché ? En aucun cas. La mort de notre vieil être a officiellement mis fin à notre relation avec le péché, mais elle n'a pas mis fin à l'existence du péché. Le péché et Satan sont toujours dans les parages, et ils sont forts et attirants. Mais en vertu de la crucifixion du vieil être, le pouvoir que Satan exerçait sur nous est rompu (Rom. 6 : 7, 12, 14). Désormais nous ne sommes plus sous aucune obligation de servir le péché, d'obéir au péché ou de répondre au péché.

Nous commettons le péché lorsque nous nous permettons volontairement d'agir indépendamment de Dieu, comme le faisait le vieil être automatiquement. Quand nous agissons de cette manière, nous allons à l'encontre de notre nouvelle nature et de notre nouvelle identité. Nous parlerons davantage dans les chapitres suivants du rôle précis que le péché joue dans la vie du croyant.

Mort une fois pour toutes

Un pasteur qui me rendit visite il y a quelques années, était réellement troublé.

– Je lutte depuis 20 ans pour vivre une vie chrétienne victorieuse. Je sais quel est le problème. Colossiens 3 : 3 dit : « Car vous
êtes morts, et votre vie est cachée avec le Christ en Dieu ». Je lutte
depuis toutes ces années parce que je ne suis pas mort comme le dit
ce verset. Comment est-ce que je peux mourir, Neil ?

– Mourir n'est pas le problème, lui dis-je. Relis le verset un
peu plus lentement.

– Car vous êtes morts, et votre vie est cachée avec le Christ en
Dieu. Je sais, Neil. C'est mon problème. Je ne suis pas mort.

– Relis-le encore, insistai-je, un peu plus lentement.

– Car vous êtes morts… et tout à coup le déclic se fit. Tiens,
c'est une constatation, n'est-ce pas ?

– Tout à fait. Ton problème n'est pas de mourir ; tu es déjà mort.
Tu es mort lors de ta conversion. Il n'est pas étonnant que tu luttes
dans ta vie chrétienne. Tu essaies de faire quelque chose qui est déjà
fait, et c'est impossible. La mort dont Paul parle dans Colossiens 3 : 3
n'est pas quelque chose que Dieu veut que tu fasses ; c'est quelque
chose qu'il veut que tu saches, que tu acceptes, que tu croies. Tu ne
peux rien faire pour devenir ce que tu es déjà.

Grâce à l'incroyable œuvre rédemptrice de Christ dans notre
vie, le vieil être a été remplacé par un nouvel être, gouverné par une
nouvelle nature qui n'existait pas auparavant (2 Cor. 5 : 17). Notre
vieil être a été détruit dans la mort de Christ et notre nouvel être est
venu à la vie dans la résurrection de Christ (1 Cor. 15 : 20-22). La
nouvelle vie qui caractérise notre nouvel être n'est rien de moins
que la vie de Jésus-Christ implantée en nous (Gal. 2 : 20 ; Col. 3 : 4).

Que vient faire la chair dans l'histoire ?

Quand j'étais dans la Marine, nous appelions le capitaine de
notre navire « le Vieux ». Notre Vieux était dur et bourru, et personne
ne l'aimait. Il partait souvent boire avec tous ses chefs mais harcelait
et dénigrait tous les officiers subalternes. Bref, il rendait la vie difficile à tout le monde sur le bateau. Quand notre Vieux fut transféré
sur un autre navire, nous nous sommes tous réjouis. Ce fut un jour
merveilleux à bord.

Un nouveau commandant de bord est arrivé – un nouveau Vieux. L'ancien Vieux n'avait plus aucun pouvoir sur nous ; il était parti – il avait complètement disparu de la circulation. Mais j'avais été formé sous les ordres de ce Vieux. Et comment pensez-vous que j'ai réagi avec le nouveau Vieux ? D'abord, j'ai agi à son égard comme j'avais été habitué à agir avec l'ancien capitaine. Je me dérobais devant lui, prêt à me faire mordre le nez. C'est de cette manière que j'avais vécu pendant deux ans avec le Vieux.

Mais après quelques temps, je me suis rendu compte que le nouveau Vieux n'était pas un vieux tyran bourru comme l'autre. Il n'avait pas l'intention de harceler son équipage ; c'était un homme qui se préoccupait de nous. Or, j'avais été programmé pendant deux ans à réagir d'une certaine façon quand je voyais les galons du capitaine. Ainsi, même si je me rendais bien compte que mon attitude n'était plus justifiée, il m'a fallu quelques mois pour m'habituer au nouveau capitaine.

La relation avec notre ancien capitaine

Lorsque nous étions morts à cause de nos fautes et de nos péchés, nous étions aussi sous les ordres d'un capitaine cruel et égoïste. L'amiral de cette flotte, c'était Satan lui-même, le prince des ténèbres. Mais par la grâce de Dieu, nous avons été « délivrés du pouvoir des ténèbres et […] transportés dans le royaume de son Fils bien-aimé » (Col. 1 : 13). Nous avons désormais un nouveau capitaine ; notre nouvel être est investi de la nature divine de Jésus-Christ qui est notre nouvel amiral. Comme nous sommes des enfants de Dieu – des saints – nous ne sommes plus sous l'autorité de Satan et nous ne sommes plus dominés par le péché et la mort. Le vieil homme est mort.

Alors pourquoi agissons-nous comme si l'ancien capitaine était encore maître de notre comportement ? Parce que, alors que nous servions sous ses ordres, notre vieil être a formé et conditionné nos actions, nos réactions, nos émotions, nos pensées, nos souvenirs, nos habitudes dans une partie de notre cerveau appelé « la chair ». La chair est cette tendance en chacun de nous d'agir indépendamment de Dieu et de centrer nos pensées sur nous-mêmes. Un non-croyant agit totalement selon la chair (Rom. 8 : 7-8), adorant et servant la créature au lieu du Créateur (Rom. 1 : 25). Une telle personne ne vit que pour elle-même (2 Cor. 5 : 15), même si une grande partie de ses activités semble être motivée par le désintéressement et par l'intérêt pour les autres.

Quand nous sommes nés de nouveau, notre vieil être est mort et notre nouvel être est venu à la vie, et nous avons été rendus participants de la nature divine de Christ. Mais notre chair demeure. Dans notre engagement chrétien, nous avons apporté un mode de pensée et un mode de vie totalement conditionnés, développés indépendamment de Dieu et centrés sur nous-mêmes. Puisque nous sommes nés physiquement vivants mais spirituellement morts, nous n'avions ni la présence de Dieu ni la connaissance des voies de Dieu. Nous avons donc appris à vivre indépendamment de Dieu. C'est cette expérience acquise qui rend la chair hostile à Dieu.

Pendant les années au cours desquelles nous étions séparés de Dieu, nos expériences ont entièrement programmé notre cerveau avec des systèmes de pensée, des traces de souvenirs, des réactions et des habitudes qui sont étrangères à Dieu. Ainsi, bien que notre ancien capitaine soit parti, notre chair, avec une tendance programmée au péché, reste opposée à Dieu, et nous pousse à vivre indépendamment de lui.

La relation avec le nouveau capitaine

Une précision doit être apportée sur la relation du chrétien avec la chair. La Bible fait une différence entre le fait d'être *sous l'emprise* de la chair et de vivre *selon* la chair. Les chrétiens ne sont plus sous l'emprise de la chair. Cette formule décrit ceux qui sont encore spirituellement morts (Rom. 8 : 8), ceux qui vivent indépendamment de Dieu. Tout ce qu'ils font, que ce soit moralement bon ou mauvais, est fait sous l'emprise de la chair.

Nous ne sommes pas sous l'emprise de la chair ; nous sommes en Christ. Nous ne sommes plus indépendants de Dieu ; nous avons déclaré notre dépendance vis-à-vis de lui en plaçant notre foi en Christ. Mais même si nous ne sommes pas sous l'emprise de la chair, nous pouvons encore choisir de vivre *selon* la chair (Rom. 8 : 12-13).

Nous pouvons encore agir indépendamment de Dieu en agissant selon la mentalité, les modèles et les habitudes incrustés en nous par le monde. Paul reprend les chrétiens corinthiens qui manquent de maturité en les appelant « charnels » à cause de leur jalousie, de leurs querelles, de leurs divisions et de leur identité mal comprise (1 Cor. 3 : 1-3). Il donne, en Galates 5 : 19-21, la liste des manifestations d'une vie selon la chair. Les non-croyants ne peuvent s'empêcher de vivre selon la chair parce qu'ils sont complètement sous l'emprise de la chair. Mais notre ancien capitaine est parti. Nous ne sommes plus sous l'emprise de la chair et nous n'avons plus besoin de vivre selon ses désirs.

Dieu s'est chargé de nous débarrasser de notre vieil être, mais notre responsabilité consiste à rendre la chair et ses œuvres inefficaces (Rom. 8 : 12). Dieu a changé notre nature, mais nous sommes chargés de changer notre comportement, de « faire mourir les actions du corps » (Rom. 8 : 13). Comment le faisons-nous ? Deux éléments principaux contribuent à nous donner la victoire contre la chair.

D'abord, nous devons apprendre à conditionner notre comportement en fonction du nouveau capitaine, notre nouvelle nature qui est investie de la nature de Christ. Paul promet : « Marchez par l'Esprit, et vous n'accomplirez point les désirs de la chair » (Gal. 5 : 16). Cet apprentissage de la marche par l'Esprit sera le thème du chapitre 5.

Deuxièmement, notre vieille manière de penser et de réagir selon notre chair conditionnée par le péché doit être « (transformée) par le renouvellement de l'intelligence » (Rom. 12 : 2). Les chapitres 6 à 9 s'intéresseront à ce renouvellement de l'intelligence.

Quel est le rôle du péché dans ma lutte pour un comportement saint ?

Le péché est la condition dans laquelle tous les descendants d'Adam sont nés (Rom. 5 : 12). Il consiste à vivre indépendamment de Dieu. Nous péchons quand nous croyons le mensonge de Satan selon lequel nous pouvons trouver un sens et un but à notre vie en dehors d'une relation personnelle avec le Créateur de la vie et sans lui obéir (Deut. 30 : 19-20 ; 1 Jean 5 : 12). Chez le non-chrétien, le péché imprègne la vieille nature, domine le vieil être et perpétue les actes de la chair. Satan est à la base de tout péché (1 Jean 3 : 8). Il trompe les gens en voulant leur faire croire des mensonges et les encourage à se rebeller contre Dieu.

Quand nous avons accepté Christ, le pouvoir du péché n'a pas été aboli, mais son pouvoir de *nous* dominer a été brisé par notre mort, notre résurrection et notre justification en Christ (Rom. 6 : 7 ; 8 : 10). Nous ne devons plus pécher parce que nous sommes morts au péché et vivants pour Dieu en Christ (Rom. 6 : 11). Le péché pousse encore fortement notre chair à continuer d'agir indépendamment de Dieu. Mais nous ne sommes plus obligés d'y participer comme nous l'étions avant de recevoir Christ. Toutefois, nous sommes responsables de ne plus permettre au péché de régner dans notre corps mortel et de ne plus obéir à ses convoitises (Rom. 6 : 12).

Je fais ce que je ne veux pas faire

Une description frappante du combat contre le péché dans la vie du croyant se trouve en Romains 7 : 15-25. Dans les versets 15 et 16, Paul pose le problème : « En effet, je ne comprends pas ce que je fais : je ne fais pas ce que je veux, et c'est ce que je déteste que je fais. Et si je fais ce que je ne veux pas, je reconnais par là que la Loi est bonne » (*Bible du Semeur*).

Remarquez que ces deux versets ne parlent que d'une seule et même personne : « je », mentionné neuf fois. Notez aussi que cette personne a de bonnes intentions ; elle approuve la Loi de Dieu. Mais ce chrétien bien intentionné a un problème de comportement. Il sait ce qu'il devrait faire, mais pour une raison quelconque, il ne peut pas le faire. Il est d'accord avec Dieu mais il finit par faire précisément ce qu'il déteste.

Les versets 17 à 21 révèlent la cause de ce problème de comportement : « Maintenant, ce n'est plus moi qui accomplis cela, mais le péché qui habite en moi. Car je le sais : ce qui est bon n'habite pas en moi, c'est-à-dire dans ma chair. Car je suis à même de vouloir, mais non pas d'accomplir le bien. Je ne fais pas le bien que je veux, mais je pratique le mal que je ne veux pas. Si je fais ce que je ne veux pas, ce n'est plus moi qui l'accomplis, mais le péché qui habite en moi. Je trouve donc cette loi pour moi qui veux faire le bien : le mal est présent à côté de moi ».

Combien de sujets trouvons-nous maintenant ? Deux : le péché et moi. Mais le péché est clairement distinct de moi ; il ne fait qu'habiter en moi. Le péché m'empêche de faire ce que je veux faire, mais il me revient de permettre au péché de régner ou non.

Ces versets disent-ils que je suis bon à rien, que je suis le mal ou que je suis le péché ? Absolument pas. Ils disent que j'ai quelque chose qui habite en moi, qui n'est pas bon, qui est même mauvais, mais ce n'est pas moi. Si j'ai une écharde dans le doigt, je peux dire que j'ai quelque chose en moi qui n'est pas bon. Mais ce n'est pas moi qui ne suis pas bon. Je ne suis pas l'écharde. L'écharde qui est plantée dans mon doigt est mauvaise. De même, je ne suis pas le péché et je ne suis pas un pécheur. Je suis un saint qui lutte avec le péché qui me pousse à faire ce que je ne veux pas faire.

Sur le champ de bataille

Les versets 22 et 23 localisent le champ de bataille du combat entre le péché et moi : « Car je prends plaisir à la Loi de Dieu, dans mon for intérieur, mais je vois dans mes membres une autre loi, qui lutte contre la loi de mon intelligence et qui me rend captif de la loi du péché qui est dans mes membres ».

Où réside mon désir de faire le bien ? Paul utilise l'expression « le for intérieur » pour faire allusion à mon nouvel être où mon esprit et l'Esprit de Dieu sont unis. C'est la partie de moi qui est éternelle. Où le péché lance-t-il ses attaques pour m'empêcher de faire ce que je veux vraiment faire ? Ma chair, mon habitude d'indépendance, continue à favoriser la rébellion contre Dieu (Jac. 4 : 1). C'est la partie de moi qui est temporelle. Où ces deux adversaires luttent-ils donc ? Le champ de bataille se trouve dans mes pensées. C'est pour cette raison qu'il est important que nous apprenions comment renouveler nos pensées (Rom. 12 : 2) et comment faire prisonnière toute pensée pour l'amener à obéir au Christ (2 Cor. 10 : 5).

> *Notre vieil être est mort, mais la chair et*
> *le péché vivent encore et luttent tous les jours*
> *contre notre nouvel être pour dominer notre vie.*

Paul conclut sa description du combat entre le péché et la nouvelle nature avec cette exclamation : « Malheureux que je suis ! Qui me délivrera de ce corps de mort ? » (Rom. 7 : 24). Notez qu'il n'a pas dit : « Pécheur que je suis ! », mais « malheureux », car il n'y a pas plus malheureux qui celui a permis au péché de régner dans son corps de mort. Si nous permettons à notre corps d'être l'instrument du mal, nous donnons une entrée à Satan dans notre vie, et il n'apporte que la tristesse.

La bonne nouvelle, c'est que Romains 7 : 24 est suivi de Romains 7 : 25 et Romains 8 : 1 : « Grâces soient rendues à Dieu par Jésus-Christ notre Seigneur ! [...] Il n'y a donc maintenant aucune condamnation pour ceux qui sont en Christ-Jésus ». Dans ce combat, la victoire est possible, comme nous le verrons au chapitre 9.

Les mots que nous avons examinés dans ce chapitre nous donnent une nouvelle appréciation de la justification et de la sanctification. Lors de notre conversion, nous avons été complètement justifiés aux yeux de Dieu. Notre vieille nature a été détruite pour toujours. Nous avons été rendus participants de la nature divine, la nature de Christ. Nous sommes devenus de nouvelles personnes en Christ et nous avons été déclarés saints par Dieu. Cette transformation a été faite une fois pour toutes. Nous ne pouvons rien faire pour améliorer la transformation et la justification que Dieu a opérées en nous. Il attend uniquement que nous croyions ce qu'il a fait et que nous acceptions notre identité d'enfants de Dieu.

La sanctification, par contre, c'est le fait d'agir progressivement en fonction de notre nouvelle identité. Notre vieil être est mort, mais la chair et le péché vivent encore et luttent tous les jours contre notre nouvel être pour dominer notre vie. Nous parvenons à la croissance et à la maturité spirituelles quand nous acceptons qui nous sommes, et que nous faisons ensuite ce que nous devons faire pour renouveler notre intelligence et marcher selon l'Esprit.

CHAPITRE 5

Devenir l'homme spirituel que vous voulez être

Au début du siècle, un hôpital psychiatrique des faubourgs de Boston traitait les personnes gravement handicapées mentalement. Une des patientes était une fille qu'on appelait simplement la Petite Annie. Elle était totalement renfermée sur elle-même. Le personnel avait tout essayé pour l'aider, mais sans succès. Finalement, considérée comme un cas désespéré, elle se retrouva au fond d'une cellule dans la cave.

Mais une merveilleuse femme chrétienne travaillait dans cet asile, et croyait fermement que chaque créature de Dieu avait besoin d'amour, de soins et d'attention. Elle décida donc de passer ses heures de repas devant la cellule de la Petite Annie en priant que Dieu la délivre de sa prison de silence. Jour après jour, cette femme chrétienne venait se tenir devant la porte d'Annie pour prier, mais la petite fille ne réagissait pas. Les mois passèrent. La femme essayait de parler à Annie, mais ses mots ne rencontraient aucun écho. Elle apportait des petits cadeaux de nourriture, mais Annie ne les acceptait jamais.

Un jour, cependant, il manqua un biscuit de l'assiette que cette femme généreuse retira de la cellule d'Annie. Encouragée, elle continua à lui faire la lecture et à prier pour elle. Finalement la petite fille commença à lui répondre à travers les barreaux de sa cellule. La femme parvint rapidement à convaincre les docteurs qu'Annie méritait une deuxième chance de traitement. Ils la sortirent de la cave et continuèrent à travailler avec elle. Après deux ans, la Petite Annie put quitter l'asile et mener une vie normale.

Mais elle choisit de ne pas partir. Elle était si reconnaissante pour l'amour et l'attention qu'elle avait reçus de cette femme dévouée qu'elle décida de rester et d'aimer les autres comme elle avait été aimée. Annie resta donc dans cet hôpital pour aider d'autres patients qui souffraient comme elle avait souffert.

Plus d'un demi-siècle plus tard, la reine d'Angleterre organisa une cérémonie spéciale en l'honneur d'une des femmes américaines les plus remarquables : Helen Keller. Quand on lui demanda ce qui lui avait permis de surmonter son double handicap de cécité et de surdité, Helen Keller répondit :

– Sans Ann Sullivan, je ne serais pas ici aujourd'hui.

Ann Sullivan, c'était la Petite Annie désespérée, à qui une femme chrétienne dévouée avait partagé l'amour de Dieu. Et parce qu'Annie, à son tour, s'était obstinée à aimer et à croire en une fille aveugle et sourde, le monde a reçu un don merveilleux en la personne d'Helen Keller.

Que faut-il pour devenir ce genre de chrétien ? Que faut-il pour nous faire abandonner nos intérêts charnels, égoïstes et mesquins et nous consacrer à un service d'amour envers Dieu et envers les autres ? Quelle est la base de la maturité chrétienne qui a motivé la bienfaitrice d'Ann Sullivan à accomplir un ministère si remarquable ?

D'abord, il faut une bonne compréhension de notre identité en Christ. Nous ne pouvons aimer comme Christ avant d'avoir accepté le fait que, puisque nous sommes en Christ, sa nature divine constitue l'essence même de notre être.

Ensuite, nous devons commencer par crucifier chaque jour la vieille chair marquée par le péché et marcher en fonction de ce que nous sommes : un enfant de Dieu dont l'esprit est rempli de l'Esprit de Dieu.

Cette marche basée sur notre identité réelle en Christ s'appelle la marche par l'Esprit (Gal. 5 : 16-18). Comment marchons-nous par l'Esprit ? C'est probablement une des questions les plus difficiles de la vie chrétienne. Il y a un élément de mystère à ce sujet que nous ne pourrons jamais pleinement comprendre. L'apôtre Jean disait : « Le vent souffle où il veut, et tu en entends le bruit ; mais tu ne sais pas d'où il vient ni où il va. Il en est ainsi de quiconque est né de l'Esprit » (Jean 3 : 8). Essayer de réduire la vie par l'Esprit à une formule revient à essayer d'attraper le vent.

Peut-être devrions-nous simplement, comme le disait quelqu'un : « tirer sur les rames et monter la voile ». Plutôt que d'essayer de repérer tous les détails de la vie spirituelle, tournons notre attention vers Christ en lui faisant confiance et laissons-le nous guider dans la bonne direction. Tout en gardant ceci à l'esprit, je vous invite maintenant à découvrir certaines directives que nous donnent les Écritures pour marcher par l'Esprit.

Trois personnes et l'Esprit

Dans le passage de 1 Corinthiens 2 : 14 à 3 : 3, Paul fait une distinction entre trois groupes de personnes en ce qui concerne la vie par l'Esprit : les hommes naturels, les hommes spirituels et les hommes charnels. Les diagrammes simples dans ce chapitre vous aideront à visualiser les différences essentielles dans la vie spirituelle de ces trois groupes. Éphésiens 2 : 1-3 donne une description concise de l'homme naturel que Paul mentionne aussi dans 1 Corinthiens 2 : 14 (voir figure 5-A). Cet homme (ou femme) est spirituellement mort, séparé de Dieu. Parce qu'il mène une vie complètement indépendante de Dieu, l'homme naturel pèche automatiquement.

L'homme naturel a une âme, en ce sens qu'il peut penser, ressentir et choisir. Mais comme le montrent les flèches du diagramme, sa pensée et donc ses émotions et sa volonté sont dirigées par sa chair qui agit complètement indépendamment du Dieu qui l'a créé.

L'homme naturel
La vie « par la chair »
1 Corinthiens 2 : 14

La chair (Rom. 8 : 8)
Bien que la chair puisse se rapporter au corps, elle désigne l'indépendance acquise qui ouvre la porte au péché. L'homme naturel qui essaie de trouver un but et un sens à sa vie indépendamment de Dieu va connaître des sentiments d'infériorité, d'insécurité, d'incapacité, de culpabilité, d'inquiétude et de doute.

Le corps
Les migraines ou les maux de tête de tension, l'estomac irrité, l'urticaire, les éruptions de la peau, les allergies, l'asthme, certaines arthrites, le côlon spasmodique, les palpitations du cœur, les troubles respiratoires, etc.

LE CORPS
LA PENSÉE — LES ÉMOTIONS
La chair
L'ESPRIT
LA VOLONTÉ

Les émotions
L'amertume, l'anxiété, la dépression, etc.

La pensée
Les pensées obsessionnelles, les fantasmes, etc.

L'esprit
L'esprit de l'homme est mort par rapport à Dieu (Éph. 2 : 1-3) ; ainsi, l'homme naturel est incapable d'accomplir ce pour quoi il a été créé. Sans vie reçue de Dieu, le péché est inévitable.

La volonté (Gal. 5 : 16-18)
Marche selon la chair

L'immoralité	Les accès de colère
L'impureté	Les rivalités
La débauche	Les dissensions
L'idolâtrie	Les divisions
La sorcellerie	L'envie
Les querelles	L'ivrognerie
La jalousie	Les orgies

Figure 5-A

L'homme naturel peut penser qu'il est libre de choisir son comportement. Mais puisqu'il vit *par* la chair, il marche inévitablement *selon* la chair et ses choix reflètent les « œuvres de la chair » citées dans Galates 5 : 19-21.

L'homme naturel possède, bien sûr, un corps. Et pourtant, puisqu'il vit indépendamment de Dieu et de ses buts, sa vie n'est pas en harmonie avec les plans de Dieu pour lui. Dans ce monde de stress sans base spirituelle pour faire face aux problèmes de la vie ou pour prendre des décisions positives, l'homme naturel peut succomber à l'un ou l'autre des désordres physiques cités dans le diagramme. Les docteurs s'accordent pour dire que la plupart de ces problèmes physiques sont d'ordre psychosomatique. La paix intérieure et l'assurance de la présence de Dieu dans notre vie ont une influence positive sur notre santé physique (Rom. 8 : 11).

Les actions, les réactions, les habitudes, les souvenirs de l'homme naturel sont tous gouvernés par la chair, qui laisse la porte ouverte au péché. Parce que la chair pécheresse n'est pas contrôlée dans sa vie, l'homme naturel luttera contre des sentiments d'infériorité, d'incapacité, de culpabilité, d'inquiétude et de doute.

L'homme spirituel a aussi un corps, une âme et un esprit. Pourtant, comme le montre la figure 5-B, cet homme a subi une transformation remarquable comparée à l'homme naturel qu'il était avant sa naissance spirituelle. Lors de la conversion, son esprit s'est uni à l'Esprit de Dieu. La vie spirituelle qui résulte de cette union est caractérisée par le pardon des péchés, l'adoption dans la famille de Dieu et la prise de conscience de sa valeur personnelle.

L'âme de l'homme spirituel montre également des changements produits par la naissance spirituelle. Il reçoit désormais son impulsion de l'Esprit et non de la chair. Sa pensée a été renouvelée et transformée tandis que ses émotions se caractérisent par la paix et la joie au lieu de l'agitation intérieure. Il est libre de *choisir* de ne pas marcher selon la chair, mais de marcher selon l'Esprit. Dans la mesure où l'homme spirituel choisit de vivre par l'Esprit, sa vie porte le fruit de l'Esprit (Gal. 5 : 22-23).

L'homme spirituel
La vie « par l'Esprit »
1 Corinthiens 2 : 15

Le corps
Le temple de Dieu
(1 Cor. 6 : 19-20).
Présenté comme un
sacrifice vivant et saint
(Rom. 12 : 1).

La chair (Rom. 8 : 8)
La responsabilité du
croyant, c'est de crucifier
la chair dans sa vie quotidienne en se considérant
comme mort au péché.

Les émotions
La paix (Col. 3 : 15)
La joie (Phil. 4 : 4)

La pensée
Transformée
(Rom. 12 : 2)
Droite (Phil. 4 : 6-8)
Équipée pour
l'action (1 Pi. 1 : 13)

L'esprit
(Rom. 8 : 9)
Le salut (Jean 3 : 3,
1 Jean 3 : 9)
Le pardon (Actes 2 : 38,
Héb. 8 : 12)
L'assurance (Rom. 8 : 16)
La sécurité (Éph. 1 : 13-14)
L'accueil (1 Jean 3 : 1)
La valeur (Éph. 2 : 10)

La volonté (Gal. 5 : 16-18)
Marche par l'Esprit

L'amour
La paix
La joie
La patience
L'amabilité

La bonté
La fidélité
La douceur
La maîtrise de soi

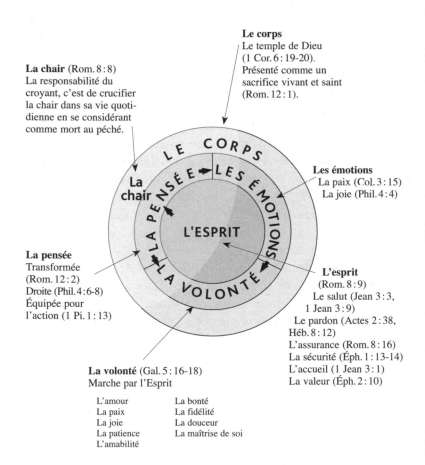

LE CORPS
La chair
LA PENSÉE
LES ÉMOTIONS
L'ESPRIT
LA VOLONTÉ

Figure 5-B

Le corps de l'homme spirituel a également subi une transformation. Il est maintenant l'habitation du Saint-Esprit, offert en sacrifice vivant d'adoration et de service à Dieu. La chair, habituée à vivre indépendamment de Dieu sous la vieille nature, est encore présente dans la vie de l'homme spirituel. Mais il prend chaque jour la responsabilité de crucifier la chair et ses désirs, parce qu'il se considère comme mort au péché.

– Tout ceci semble bien beau, pourriez-vous dire, mais je suis un chrétien et j'ai encore des problèmes. Je sais que je suis spirituellement vivant, mais parfois je m'attarde sur de mauvaises pensées. Parfois je me laisse aller à un comportement qui vient de la chair plutôt que de manifester le fruit de l'Esprit. Parfois je nourris les désirs de la chair plutôt que de les crucifier.

La description de l'homme spirituel est idéale. C'est le modèle de maturité vers lequel nous tendons tous. Dieu a tout accordé pour que cette description de l'homme spirituel dans sa Parole (2 Pi. 1 : 3) devienne une réalité pour nous personnellement. Mais la plupart d'entre nous vivent quelque part sur la pente entre le sommet de la maturité spirituelle et les profondeurs du comportement charnel décrit par la figure 5-C. Cependant, si nous marchons par l'Esprit, nous pouvons être sûrs que notre maturité, notre croissance et notre sanctification progressent vers l'idéal.

Notez que l'esprit de l'homme charnel est identique à celui de l'homme spirituel. L'homme charnel est chrétien, spirituellement vivant en Christ et déclaré juste par Dieu. Mais là s'arrête la similitude. Plutôt que d'être dirigé par l'Esprit, ce croyant choisit de suivre les impulsions de sa chair. En conséquence, son esprit est occupé par des pensées charnelles et ses émotions sont tourmentées par des sentiments négatifs. Et, bien qu'il soit libre de choisir de marcher par l'Esprit et de porter du fruit de l'Esprit, il participe continuellement au péché en suivant volontairement la chair.

Son corps physique est un temple de Dieu tristement délabré. Il présente souvent les mêmes symptômes physiques troublants que l'homme naturel parce qu'il n'agit pas de la manière que Dieu veut et pour laquelle il l'a créé.

L'homme charnel
La vie « selon la chair »
1 Corinthiens 3:3

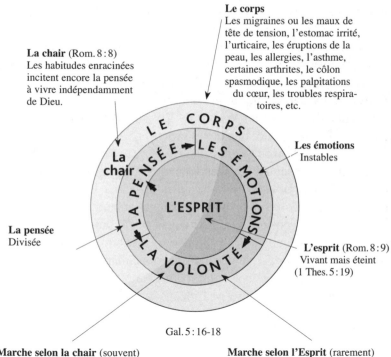

Le corps
Les migraines ou les maux de tête de tension, l'estomac irrité, l'urticaire, les éruptions de la peau, les allergies, l'asthme, certaines arthrites, le côlon spasmodique, les palpitations du cœur, les troubles respiratoires, etc.

La chair (Rom. 8 : 8)
Les habitudes enracinées incitent encore la pensée à vivre indépendamment de Dieu.

Les émotions
Instables

La pensée
Divisée

L'esprit (Rom. 8 : 9)
Vivant mais éteint
(1 Thes. 5 : 19)

Gal. 5 : 16-18

Marche selon la chair (souvent)

L'immoralité	Les accès de colère
L'impureté	Les dissensions
La débauche	Les divisions
L'idolâtrie	L'envie
La sorcellerie	L'ivrognerie
Les querelles	Les orgies
La jalousie	Les rivalités
La discorde	

Marche selon l'Esprit (rarement)

L'amour
La paix
La joie
La patience
L'amabilité
La bonté
La fidélité
La douceur
La maîtrise de soi

Figure 5-C

Il ne présente pas son corps à Dieu comme un sacrifice d'adoration, mais il satisfait ses appétits physiques selon les caprices de sa chair marquée par le péché. Puisqu'il cède à la chair plutôt que de la crucifier, l'homme charnel connaît aussi des sentiments d'infériorité, d'insécurité, d'incapacité, de culpabilité, d'inquiétude et de doute.

Il y a plusieurs années, j'ai fait une petite enquête personnelle pour découvrir combien de chrétiens étaient encore victimes de leur chair. J'ai posé la même question à 50 chrétiens qui venaient me parler l'un après l'autre de leurs problèmes :

– Parmi les mots suivants, combien s'appliquent à votre vie : l'infériorité, l'insécurité, l'incapacité, la culpabilité, l'inquiétude, le doute ?

Tous les 50 ont répondu : «Tous les six». Voici 50 enfants de Dieu, nés de nouveau, justifiés, tellement étouffés par la chair qu'ils luttaient contre les mêmes problèmes que les non-chrétiens qui vivent continuellement selon la chair.

Si je vous posais la même question, comment répondriez-vous ? D'après mon expérience dans la relation d'aide, j'imagine que beaucoup d'entre vous pourriez admettre qu'une ou plusieurs de ces six caractéristiques vous décrivent. Il me paraît clair qu'un nombre important de croyants sont encore incertains de leur identité spirituelle en Christ et ne saisissent pas les conséquences de cette identité dans leur vie quotidienne. Dans notre croissance, nous n'arrivons pas à régler le problème de notre comportement parce que nous luttons encore avec le problème de notre foi : accepter qui nous sommes en Christ.

Êtes-vous freiné dans votre croissance parce que vous vous sentez inférieur ? À qui ou à quoi êtes-vous inférieur ? Vous êtes un enfant de Dieu assis avec Christ dans les lieux célestes (Éph. 2 : 6). Vous sentez-vous dans l'insécurité ? Jamais votre Dieu ne vous abandonnera ni ne vous délaissera (Héb. 13 : 5). Incapable ? Vous pouvez tout faire par Christ (Phil. 4 : 13). Coupable ? Il n'y a aucune condamnation pour ceux qui sont en Christ (Rom. 8 : 1). Inquiet ? Dieu a offert d'échanger sa paix contre votre anxiété (Phil. 4 : 6 ; 1 Pi. 5 : 7 ; Jean 14 : 27). Doutez-vous ? Dieu donne la sagesse à celui qui la demande (Jac. 1 : 5).

Pourquoi y a-t-il toujours un si grand écart entre chrétiens spirituels et chrétiens charnels ? Pourquoi tant de chrétiens vivent-ils si loin en dessous de leur potentiel en Christ ? Pourquoi si peu d'entre nous connaissent la vie productive et abondante que nous avons déjà héritée ?

Une partie de la réponse se situe au niveau du processus de maturité et de croissance : le croyant ne peut connaître cette vie abondante que lorsqu'il s'approprie son identité spirituelle et l'applique à son expérience quotidienne. Et pourtant, nombreux sont les chrétiens qui sont nés de nouveau depuis des années – même des décennies – et qui ne connaissent pas encore une certaine victoire sur le péché et sur la chair, une victoire qui fait pourtant partie de leur héritage en Christ.

Une autre partie de la réponse se trouve dans une meilleure compréhension de la façon dont le royaume des ténèbres freine notre progression vers la maturité. Nous avons un ennemi personnel et vivant – Satan – qui essaie activement de bloquer nos tentatives de croissance vers la maturité. Nous devons savoir comment lui résister. Paul a écrit au sujet de Satan : « Nous n'ignorons pas ses desseins » (2 Cor. 2 : 11). Peut-être que Paul et les Corinthiens n'étaient pas ignorants, mais il semble que de nombreux chrétiens le sont aujourd'hui. Nous vivons comme si Satan et son domaine obscur n'existaient pas. Et notre naïveté dans ce domaine ampute sérieusement notre liberté chrétienne. Nous parlerons davantage du rôle actif de Satan et de son opposition à notre maturité au chapitre 9, quand nous examinerons les combats dans nos pensées.

Les paramètres de la marche par l'Esprit

Après notre conversion, nous étions comme des petits moteurs de tondeuse à gazon. Nous pouvions faire quelque chose, mais pas énormément, parce que nous n'avions pas beaucoup de maturité. Cependant, notre objectif en tant que chrétiens est de devenir de gros moteurs de camion – de vrais générateurs de puissance pour le Seigneur. Mais ni une tondeuse, ni un bulldozer ne peuvent être efficaces sans essence. De même, nous ne pouvons rien accomplir non plus sans Christ (Jean 15 : 5). Quelle que soit notre maturité, nous ne serons jamais productifs si nous ne marchons pas par l'Esprit.

> *Dès que vous pensez avoir réduit la marche par l'Esprit à une formule, l'Esprit n'y est probablement plus.*

Quand il s'agit de marcher selon la chair ou de marcher selon l'Esprit, notre volonté est comme un interrupteur à bascule. La volonté du jeune chrétien semble déclencher automatiquement le comportement charnel. Il est encore la victime inconsciente d'une chair parfaitement entraînée à agir indépendamment de Dieu. La volonté du chrétien mûr est réglée en fonction de l'Esprit. Il fait encore occasionnellement de mauvais choix, mais il apprend à crucifier la chair et à marcher par l'Esprit dans la vie quotidienne.

Si vous attendez une formule magique ou une liste d'instructions infaillibles pour marcher par l'Esprit, vous serez déçus. La marche par l'Esprit contient un élément de mystère qu'on ne peut pas réduire à une équation. En fait, dès que vous pensez avoir réduit la marche par l'Esprit à une formule, l'Esprit n'y est probablement déjà plus.

La marche par l'Esprit ressemble plus à une relation qu'à un régime. Votre mariage pourrait être une bonne illustration. Au départ, vous vous êtes peut-être basés sur certaines règles pour bénéficier d'une bonne communication, d'une vie sexuelle épanouie, etc. Mais si après plusieurs années, vous êtes incapables de vous parler ou de faire l'amour sans suivre un plan ou une liste précise, votre mariage en est encore au stade de l'enfance. Le but du mariage est de développer une relation qui dépasse les simples règles.

Ou, pensez à la prière. Peut-être avez-vous appris à prier en suivant les quatre étapes : adoration, confession, reconnaissance, requête. Mais si vous êtes chrétien depuis quelques années et si votre vie de prière ne va pas plus loin que cette formule, vous êtes passé à côté de la prière. La prière n'est pas une formule ; c'est le langage de notre relation avec Dieu. De même, marcher par l'Esprit, c'est essentiellement une relation avec l'Esprit qui habite en nous, et cette relation dépasse toutes les simplifications.

Bien que les Écritures ne nous donnent pas de formule, il nous est néanmoins utile de découvrir ce qu'est la marche par l'Esprit et ce qu'elle n'*est pas*. Galates 5 : 16-18 nous donne des paramètres utiles : « Je dis donc : Marchez par l'Esprit et vous n'accomplirez point les désirs de la chair. Car la chair a des désirs contraires à l'Esprit, et l'Esprit en a de contraires à la chair ; ils sont opposés l'un à l'autre, afin que vous ne fassiez pas ce que vous voudriez. Mais si vous êtes conduits par l'Esprit, vous n'êtes pas sous la Loi ».

Ce que la marche par l'Esprit n'est pas

Paul dit que la marche par l'Esprit, ce n'est pas la licence : une liberté excessive ou indisciplinée qui serait un abus de nos privilèges. En tant que chrétien, vous pourriez lire la phrase « Vous n'êtes pas sous la Loi » et penser : « Enfin, je suis libre ! Si je marche par l'Esprit, je peux faire tout ce que je veux ! » Pas du tout. Dans le verset précédent Paul écrit : « afin que vous ne fassiez pas ce que vous voudriez ». Être conduit par l'Esprit ne signifie pas que nous sommes libres de faire tout ce que nous voulons. Cela veut dire que nous sommes libres de vivre une vie responsable, morale – ce que nous étions incapables de faire quand nous étions prisonniers de notre chair.

J'ai un jour reçu une invitation à parler du christianisme protestant lors d'un cours de religion dans une école catholique. À la fin de l'exposé, un étudiant à l'air sportif et dégourdi leva la main et demanda :

– Avez-vous beaucoup de règles dans votre église ?

Comprenant que ses motivations étaient plus profondes, je répondis :

– Ce que tu veux vraiment savoir, c'est si nous sommes libres, n'est-ce pas ?

Il acquiesça.

– Bien sûr, je suis libre de faire tout ce que je veux, répondis-je. Son visage reflétait son incrédulité.

– Soyez sérieux, dit-il.

– Je le suis, dis-je. Je suis libre de dévaliser une banque. Mais je suis assez responsable pour savoir que je serais lié par cet acte pour tout le reste de ma vie. Je devrais dissimuler mon crime, me cacher ou éventuellement payer pour ce que j'ai fait. Je suis libre aussi de mentir. Mais si je le faisais, je devrais continuer à mentir, et me rappeler à qui j'ai dit quoi et comment je l'ai dit, sous peine d'être pris. Je suis libre de prendre de la drogue, de me saouler et de vivre une vie sexuelle sans frein. Or, toutes ces «libertés» conduisent à l'esclavage. Je suis certes libre de faire ces choix, mais, si je prends en compte leurs conséquences, est-ce que je peux dire que je reste vraiment libre ?

Ce qui semble être la liberté pour certains, n'est pas vraiment la liberté, mais un retour à l'esclavage (Gal. 5 : 1). Les lois de Dieu, dont nous essayons de nous libérer, ne sont pas une contrainte, mais une protection. Notre vraie liberté se situe dans notre capacité de choisir de vivre une vie responsable dans le cadre des directives protectrices que Dieu a fixées.

La marche par l'Esprit n'est pas non plus du légalisme, ce qui serait l'opposé de la licence. Paul dit : « Si vous êtes conduits par l'Esprit, vous n'êtes pas sous la loi » (Gal. 5 : 18). L'obéissance rigoureuse à des règles chrétiennes ne favorise pas la marche par l'Esprit ; elle la tue souvent (2 Cor. 3 : 6). Il nous est dit, en Galates 3 : 13, que la loi apporte une malédiction, et en Galates 3 : 21, qu'elle est impuissante, incapable de donner la vie.

Faire la loi – dire à quelqu'un qu'il ne faut pas faire ceci ou cela – ne donne à personne le pouvoir d'arrêter de le faire. Les chrétiens sont connus pour avoir transposé la spiritualité en règles : les chrétiens ne boivent pas, ne fument pas, ne dansent pas, ne vont pas au cinéma, ne jouent pas aux cartes, ne se maquillent pas, etc. Mais le légalisme ne freine pas l'immoralité. En fait, imposer la loi ne sert qu'à augmenter la tentation. Paul dit que la loi stimule le désir de faire ce qui est interdit (Rom. 7 : 5) ! Quand on dit à un enfant de ne pas traverser une certaine ligne, où va-t-il immédiatement ? Le fruit défendu est toujours le plus désirable.

La marche par l'Esprit n'est pas non plus le produit de la conformité à une ligne de conduite religieuse. Nous associons souvent des disciplines chrétiennes telles que l'étude biblique, la prière, le témoignage et la participation régulière au culte à la maturité spirituelle. Toutes ces activités sont bonnes et utiles à la croissance spirituelle. Mais le simple fait d'accomplir ces exercices chrétiens admirables ne garantit pas une marche par l'Esprit.

Les règles de comportement données par la Bible seraient-elles donc mauvaises ? Bien sûr que non. La loi de Dieu est un cadre moral nécessaire et protecteur. Dans les limites de la loi de Dieu, nous sommes libres de développer une relation avec Dieu d'esprit à Esprit, ce qui constitue l'essence même de la marche par l'Esprit.

Ce qu'est la marche par l'Esprit

La marche par l'Esprit n'est caractérisée ni par la licence ni par le légalisme, mais par la liberté. Paul dit : « Il nous a aussi rendus capables d'être ministres d'une nouvelle alliance, non de la lettre, mais de l'Esprit ; car la lettre tue, mais l'Esprit fait vivre [...] Or, le Seigneur, c'est l'Esprit ; et là où est l'Esprit du Seigneur, là est la liberté » (2 Cor. 3 : 6, 17).

Je crois que notre liberté en Christ est une des ressources les plus précieuses que nous donne notre union spirituelle avec Dieu. Parce que l'Esprit du Seigneur est en nous, nous pouvons agir librement dans le domaine moral. Nous ne sommes plus contraints à marcher selon la chair comme nous l'étions avant la conversion. Nous sommes complètement libres de choisir de marcher selon l'Esprit ou de marcher selon la chair.

La marche par l'Esprit implique deux choses. D'abord, elle n'est pas passive. Nous parlons de *marcher* par l'Esprit et non de *s'asseoir* dans l'Esprit. La passivité – le fait de mettre le cerveau au point mort et de se laisser entraîner – est un des obstacles les plus dangereux et les plus nuisibles à la croissance spirituelle. Le livre de Jessie Penn-Lewis, *War on the Saints* (« La guerre contre les saints »), a été écrit pour contrer toute idée de passivité. Se vautrer dans son fauteuil et attendre que Dieu fasse tout n'est pas le moyen choisi par Dieu pour nous conduire à la maturité spirituelle.

Deuxièmement, nous parlons de *marcher* par l'Esprit, et non de *courir* par l'Esprit. La vie par l'Esprit n'est pas le produit d'activités incessantes dans toutes les directions. Nous pensons à tort que plus nous travaillons durement pour Dieu, plus nous deviendrons spirituels. C'est un mensonge subtil qui vient de l'ennemi. Satan sait qu'il ne pourra peut-être pas nous freiner dans notre service envers Dieu en nous rendant immoraux, mais il pourra probablement nous ralentir en nous rendant simplement trop occupés.

Matthieu 11 : 28-30 contient une magnifique description du rythme et du but de la marche par l'Esprit. Jésus dit : « Venez à moi, vous tous qui êtes fatigués et chargés, et je vous donnerai du repos. Prenez mon joug sur vous et recevez mes instructions, car je suis doux et humble de cœur, et vous trouverez du repos pour vos âmes. Car mon joug est aisé, et mon fardeau léger ».

Jésus nous invite à une marche reposante en tandem avec lui, comme deux bœufs marchent ensemble sous un même joug. « Comment un joug peut-il être reposant ? » pourriez-vous demander. Parce que le joug de Jésus est léger. Jésus est à la tête de l'attelage et il donne un rythme régulier à la marche. Si nous marchons du même pas que lui, notre fardeau sera léger. Mais si nous abordons notre relation avec lui d'une manière passive, nous serons douloureusement tirés par le joug parce que Jésus continue à marcher. Ou si nous essayons de courir en avant ou de tourner dans une autre direction, le joug écorchera notre cou et notre vie deviendra désagréable. La clé d'une relation paisible sous le joug de Jésus, c'est d'apprendre de lui et de s'ouvrir à sa douceur et à son humilité.

Cette illustration de la marche par l'Esprit côte à côte avec Jésus nous aide aussi à comprendre notre service envers Dieu. Que pouvons-nous accomplir sans Jésus qui tire de son côté du joug ? Rien. Et qu'est-ce qui peut être réalisé sans que nous tirions de notre côté ? Rien. Dieu a choisi d'être notre partenaire dans l'action pour accomplir son œuvre dans le monde d'aujourd'hui. Certaines choses ne peuvent être faites que par Dieu, et si nous essayons de les faire, nous gâcherons le travail. Mais d'autres choses nous ont clairement été confiées par Dieu, et si nous ne les faisons pas, elles ne seront jamais réalisées. En fait, rien ne sera jamais accompli si nous ne marchons pas ensemble avec le Seigneur.

Marcher en étant conduit

Marcher selon l'Esprit consiste aussi à être conduit par l'Esprit (Rom. 8 : 14). C'est pour cette raison qu'à plusieurs reprises, dans les Écritures, le Seigneur a comparé notre relation avec lui à celle d'un berger avec ses brebis. Les brebis ont besoin d'un berger. Elles sont si stupides qu'abandonnées dans une prairie, elles continueraient à manger jusqu'à ce que mort s'ensuive. Elles ont besoin d'un berger pour les faire «reposer dans de verts pâturages» (Ps. 23 : 2) pour qu'elles ne mangent pas à en mourir.

> *Dieu ne vous forcera pas à marcher par l'Esprit, et le diable ne peut pas vous faire marcher selon la chair. Mais ce dernier essayera certainement de vous attirer dans cette direction.*

Il est difficile pour ceux qui vivent en Occident d'avoir une image correcte de l'idée d'être conduits comme des moutons. En effet, les bergers occidentaux se mettent à l'arrière du troupeau pour le faire avancer, souvent avec des chiens qui aboient à leurs talons. Par contre, les bergers orientaux, comme du temps de la Bible, conduisent leur troupeau à l'avant. J'ai observé un berger conduire son troupeau sur une colline près de Bethléhem lors d'une visite en Terre Sainte. Le berger était assis sur une pierre pendant que les brebis broutaient. Après un certain temps, il se leva, dit quelques mots aux brebis et partit. Les brebis le suivirent. C'était fascinant ! Les paroles de Jésus en Jean 10 : 27 ont tout à coup revêtu un sens nouveau pour moi : «Mes brebis entendent ma voix. Moi, je les connais, et elles me suivent».

Nous sommes conduits dans la marche par l'Esprit, nous ne sommes pas poussés. Il en va de même pour la marche selon la chair. Dieu *ne vous forcera pas* à marcher par l'Esprit, et le diable *ne peut pas* vous faire marcher selon la chair. Mais ce dernier essayera certainement de vous attirer dans cette direction. Vous êtes libre de choisir la direction de l'Esprit ou les désirs de la chair.

La preuve par le fruit

Comment savoir si nous sommes conduits par l'Esprit ou par la chair ? C'est simple : regardons notre comportement. Si nous réagissons dans une situation donnée avec de l'amour, de la joie, de la paix, de la patience, de la gentillesse, de la bonté, de la fidélité, de la douceur et de la maîtrise de soi, nous suivons l'Esprit (Gal. 5 : 22-23). Si, au contraire, nos réactions reflètent les œuvres de la chair citées dans Galates 5 : 19-21, nous suivons la chair dans cette situation. Nous ne marchons plus d'un même pas avec Jésus. Soit nous courons en avant, soit nous tirons en arrière. Cela nous montre que nous devons nous rapprocher de Jésus dans notre relation avec lui, apprendre de lui et ensuite modifier notre marche.

Que faisons-nous quand nous découvrons que nous suivons le mauvais chemin, que nous suivons la chair plutôt que l'Esprit ? Nous devons simplement le reconnaître et le corriger. La marche selon l'Esprit est une expérience de chaque instant et de chaque jour. Quand nous quittons le sentier de l'Esprit, confessons notre péché à Dieu et à tous ceux que nous aurions offensés, acceptons le pardon et retournons marcher sur le bon chemin.

Un dimanche matin alors que j'étais pasteur, j'avais prévenu ma famille que nous devions partir pour le culte à une certaine heure. Quand l'heure arriva, j'étais encore seul dans la voiture et je commençais à pester. Au lieu de suivre le chemin de l'Esprit par l'amour et la patience, je prenais lentement le détour vers la colère et l'irritation. Environ deux minutes plus tard, ma femme et mon fils sont arrivés. Environ cinq minutes plus tard, Heidi sortit en flânant, une revue sous le bras.

– Retourne immédiatement à l'intérieur et va chercher ta Bible, lui ai-je dit durement.

Je ne peux pas dire que c'était le meilleur dimanche matin que j'aie jamais eu. J'avais offensé ma famille par ma réaction charnelle et je devais réparer ce que j'avais fait. Après le culte, nous étions tous à table pour le repas.

– Avant de prier, leur dis-je, je dois vous demander pardon. Je me suis laissé emporter ce matin dans la voiture. J'ai cédé à la chair. Ils m'ont pardonné et la relation a été rétablie.

– Si je devais confesser tous mes actes selon la chair, pourriez-vous dire, je devrais constamment me confesser et les gens n'auraient plus de respect pour moi.

C'est vrai, il semble que les relations quotidiennes de ceux qui désirent marcher selon l'Esprit sont émaillées de mauvais choix selon la chair. Et votre humilité pourrait atteindre ses limites si vous confessez vos échecs. Mais voici quelques éléments dont vous devez tenir compte lorsque vous essayez de réparer des torts.

D'abord, l'étendue de votre confession ne devrait pas dépasser l'étendue de votre offense. Si vous avez agressé verbalement un parent, vous ne devez confesser votre faute qu'à Dieu et à la personne en question. Vous ne devez pas confesser votre colère à votre groupe de prière ou à votre église, parce que cela ne les concerne pas.

Par ailleurs, si vous entretenez secrètement des pensées malsaines ou une attitude d'orgueil sans comportement extérieur mauvais, vous ne devez confesser votre tort qu'à Dieu, parce qu'il est le seul qui en est offensé. La confession signifie littéralement « être d'accord avec Dieu ». Quand nous avons une réaction charnelle intérieure, reconnaissons-la immédiatement comme telle. C'est tout ; il n'y a rien d'autre à faire.

Deuxièmement, ce processus de guérison de la relation grâce à la confession et au pardon est une étape dans la croissance spirituelle. Votre rôle, en tant que parent, époux, ami, collaborateur, ou frère dans la foi est d'être un exemple dans votre croissance, pas dans votre perfection. Vous n'êtes pas parfait – et tous ceux qui vous entourent le savent ! Si vous essayez de maintenir une façade de perfection chrétienne pour encourager les saints et gagner les pécheurs, arrêtez ! Vous n'y arriverez jamais. Mais si vous reconnaissez ouvertement vos choix charnels et si vous demandez pardon, vous serez l'exemple d'une croissance spirituelle qui touchera les saints comme les pécheurs.

La marche par l'Esprit, c'est une question de liberté. Nous sommes libres de choisir la chair ou l'Esprit. Mais attention : Satan

n'est pas content de nous savoir libres. Il essayera tous les stratagèmes possibles pour nous empêcher d'accepter et de vivre la liberté
que nous avons reçue en Christ. La connaissance de Dieu et de ses
voies nous aidera à discerner les esprits trompeurs. Si une petite
voix à l'intérieur de nous nous pousse à agir de manière impulsive,
nous attire vers la tentation ou nous accuse sans cesse, ce n'est pas
la voix de Dieu. Si nous marchons du même pas que Jésus, et que
nous recevons son enseignement, nous serons aussi mieux préparés
pour reconnaître les mensonges de Satan et pour déjouer ses plans.

CHAPITRE 6

La puissance
d'une foi positive

Il y a environ 50 ans, près de Nashville, au Tennessee, une petite fille naissait avec de graves problèmes de santé, qui la laissèrent infirme. Elle faisait partie d'une grande et merveilleuse famille chrétienne. Mais pendant que ses frères et sœurs s'amusaient à courir et jouer dehors, elle restait prisonnière de ses appareils orthopédiques.

Ses parents la conduisaient régulièrement à Nashville pour des séances de kinésithérapie, mais les espoirs de la petite fille étaient maigres.

– Est-ce que je pourrai un jour courir et jouer comme les autres enfants ? demanda-t-elle à ses parents.

– Il suffit d'y croire, ma chérie, répondirent-ils. Si tu y crois, Dieu t'aidera.

Elle prit le conseil de ses parents au sérieux et commença à croire que Dieu pourrait l'aider à marcher sans appareil. À l'insu de ses parents et de ses docteurs, elle s'entraîna à marcher sans appareil avec l'aide de ses frères et sœurs. À son douzième anniversaire, elle surprit ses aînés en retirant son appareil et en faisant le tour du bureau du docteur sans aide. Les docteurs étaient époustouflés par ses progrès. Elle ne porta plus jamais d'appareil.

Son objectif suivant était de jouer au basket. Elle continua d'exercer sa foi et son courage – ainsi que ses jambes sous-développées – et elle se présenta pour jouer dans l'équipe de l'école. L'entraîneur choisit sa sœur aînée et la jeune fille courageuse apprit qu'elle n'était pas assez bonne pour faire partie de l'équipe. Son père, un homme sage et bon, dit à l'entraîneur :

– Mes filles vont par deux. Si vous en voulez une, vous devez aussi prendre l'autre.

À contrecœur, l'entraîneur ajouta la fille infirme à l'équipe. Elle put s'entraîner avec les autres sans participer aux compétitions.

Un jour, elle aborda l'entraîneur :

– Si vous voulez bien me donner 10 minutes d'entraînement supplémentaire par jour, vous aurez une athlète de niveau mondial.

Il rit, puis il comprit qu'elle était sérieuse. Il acquiesça sans enthousiasme et la fit jouer à deux contre deux avec sa meilleure amie et quelques garçons. Bientôt sa détermination porta des fruits. Elle acquit des capacités sportives et morales exceptionnelles, et fit bientôt partie des meilleures joueuses de l'équipe.

Lors d'une compétition régionale, un des arbitres remarqua ses capacités hors du commun et lui demanda si elle avait jamais fait d'athlétisme. L'arbitre, qui était aussi entraîneur d'un club d'athlétisme renommé, l'encouragea à courir. À la fin du championnat de basket, elle s'entraîna donc pour la course à pied. Elle se mit à remporter des courses et gagna même sa place aux championnats nationaux.

À l'âge de 16 ans, elle était l'une des meilleures coureuses du pays. Elle participa aux Jeux Olympiques d'Australie et gagna une médaille de bronze avec l'équipe du relais 4 x 100 mètres. Mais elle n'était pas encore satisfaite et elle s'entraîna encore pendant quatre ans et retourna aux Jeux Olympiques de Rome en 1960. Là, Wilma Rudolph gagna le 100 mètres, le 200 mètres et donna la victoire finale à l'équipe de relais 4 x 100 mètres, le tout en des temps records. L'année culmina lorsqu'elle fut nommée « meilleure athlète féminine » des États-Unis. La foi et les efforts de Wilma Rudolph furent récompensés.

Quand vous entendez des histoires stimulantes comme celle de Wilma Rudolph, vous vous demandez peut-être :

– La foi, est-ce vraiment l'élément critique qui permet à certaines personnes de s'élever malgré des désavantages incroyables, et de réaliser ce que d'autres ne réussiront jamais ?

Vous devriez vous douter que la réponse est «oui». La foi est indispensable à la vie chrétienne. L'auteur de l'épître aux Hébreux le résume en écrivant : « Or, sans la foi, il est impossible de lui plaire ; celui qui s'approche de Dieu doit croire qu'il existe et qu'il récompense ceux qui le cherchent» (Héb. 11 : 6). Croire en ce que Dieu est, à ce qu'il dit et à ce qu'il fait, c'est là la clé du royaume de Dieu.

De plus, la foi est à la base de l'activité quotidienne du chrétien. Paul écrit : «Ainsi, comme vous avez reçu le Christ-Jésus, le Seigneur, marchez en lui» (Col. 2 : 6). Comment avez-vous reçu Christ ? Par la foi. Comment devez-vous donc marcher en lui ? Par la foi. Dans la Bible, le fait de marcher se rapporte à notre façon de mener notre vie quotidienne. Les succès journaliers du chrétien en croissance et maturité chrétiennes dépendent de sa marche par la foi en Christ. Croire en ce que Dieu a accompli pour nous et en ce que nous sommes à cause de sa grâce, voilà la base de la maturité chrétienne.

Les dimensions d'une foi réaliste

Nous avons tendance à croire que la foi est une sorte de qualité mystique qui appartient au domaine spirituel plutôt qu'au monde terre à terre de la vie quotidienne. Mais la foi est plus concrète que vous pourriez le penser ou que vous voudriez le penser. Je voudrais partager avec vous trois aspects très simples de la foi qui la sortiront de l'abstrait et la rendront tout à fait pratique.

La foi dépend de son objet

Ce n'est pas le fait de croire qui est important en ce qui concerne la foi. C'est ce en quoi nous croyons ou celui en qui nous croyons qui déterminera si notre foi sera récompensée ou non. Tout le monde vit par la foi tous les jours. Chaque fois que nous roulons en voiture, nous exerçons notre foi. Quand nous arrivons à un carrefour et que le feu est vert, nous le traversons en croyant que les autres conducteurs s'arrêteront au feu rouge, même si nous ne voyons pas leur feu. Si nous n'étions pas sûrs qu'ils s'arrêtent au feu rouge, nous traverserions le carrefour très lentement et prudemment pour nous assurer que personne ne le brûle.

Les objets de votre foi sur la route sont-ils fiables ? Ils le sont la plupart du temps quand les conducteurs respectent le code de la route. Mais vous avez peut-être eu un accident parce que vous avez placé votre foi en un autre conducteur qui n'en était pas digne.

Que se passe-t-il si l'objet de notre foi nous trahit ? Nous l'abandonnons, peut-être pas immédiatement, mais combien d'échecs pouvons-nous tolérer avant de dire « plus jamais » ? Quand la foi est endommagée ou perdue, elle est très difficile à regagner. Ce n'est pas le fait de croire qui est un problème ; c'est l'objet de notre foi qui récompense ou détruit notre foi. Si nous avons eu plusieurs accidents, le niveau de notre confiance envers les autres conducteurs sera probablement très bas et nous serons très prudents sur la route. Si notre époux a été infidèle, ou si un ami ou parent nous a gravement blessé, notre foi en cette personne sera faible parce qu'il ou elle ne sera plus digne de notre confiance. Quand la confiance est brisée, il faut des mois ou des années pour la reconstruire.

Toutefois, certains objets de notre foi sont solides. Nous réglons notre montre, nous organisons notre temps et notre journée en croyant que la Terre continuera ses rotations sur son axe autour du Soleil à vitesse constante. Si l'orbite de la Terre se déplaçait de quelques degrés seulement, notre vie tomberait dans le chaos. Mais, jusqu'à présent, les lois physiques gouvernant l'univers font partie des objets les plus fiables de notre foi.

L'objet fondamental de notre foi n'est pas, bien sûr, le Soleil, mais le Fils : « Jésus-Christ est le même hier et aujourd'hui et pour l'éternité » (Héb. 13 : 8). Son immutabilité – le fait qu'il ne change jamais – le rend absolument digne de confiance (Nomb. 23 : 19 ; Mal. 3 : 6). Il n'a jamais manqué d'être et de faire tout ce qu'il a dit qu'il serait et qu'il ferait. Il est éternellement fidèle.

Beaucoup de gens essaient de vivre par la foi sans bien connaître Dieu et ses voies. Ils essaient de vivre par la foi en la foi, plutôt que par la foi en Dieu. La foi dépend de son objet.

La profondeur de notre foi est proportionnelle à notre connaissance de son objet

Quand certains luttent avec leur foi en Dieu, ce n'est pas parce que l'objet de leur foi est insuffisant. C'est parce qu'ils ont des attentes irréalistes vis-à-vis de Dieu. Ils espèrent que Dieu agira ou répondra à la prière d'une certaine manière : *leur* manière, et non la sienne. Et quand Dieu ne se conforme pas à leurs attentes, ils s'en éloignent. Mais Dieu ne change pas ; il est l'objet parfait de notre foi. La foi en Dieu n'est trahie que lorsque nous avons une mauvaise compréhension de lui.

Si nous voulons voir notre foi en Dieu grandir, nous devons apprendre à mieux le comprendre en tant qu'objet de notre foi. Si nous connaissons peu de choses au sujet de Dieu et de sa Parole, nous aurons peu de foi. Si nous avons une grande connaissance de Dieu et de sa Parole, nous aurons une grande foi. La foi ne peut pas être gonflée en se répétant : « Je veux croire ! Je veux croire ! » Quand nous essayons de pousser notre foi au-delà de notre connaissance de Dieu et de ses voies, notre foi se transforme en hypothèse. Nous choisissons de croire en Dieu en fonction des vérités que nous connaissons déjà d'après sa Parole. Et la seule façon d'augmenter notre foi, c'est d'augmenter notre connaissance de Dieu, l'objet de notre foi. Voilà pourquoi Paul a écrit : « Ainsi la foi vient de ce qu'on entend, et ce qu'on entend vient de la parole de Christ » (Rom. 10 : 17).

La foi aurait-elle donc des limites ? Oui, elle a des limites. Mais Dieu ne les fixe pas, c'est nous qui les fixons. Dieu, l'objet de notre foi, est infini. La seule limite à notre foi est notre connaissance et notre compréhension de Dieu, qui grandit chaque fois que nous lisons la Bible, mémorisons un nouveau passage, participons à une étude biblique ou méditons les vérités bibliques. Comprenez-vous les possibilités pratiques et tangibles que nous avons de faire grandir notre foi en nous efforçant de connaître Dieu par sa Parole ? Elles sont illimitées ! Je ne pense pas qu'il y ait un chrétien sur terre qui ait atteint son potentiel de foi.

De plus, il est important de savoir que Dieu n'a aucune obligation envers nous. Il n'y a aucun moyen de formuler savamment une prière pour que Dieu soit obligé d'agir en notre faveur. Si Dieu déclare une vérité, nous devons simplement le croire et vivre en fonction de ce qui est vrai. Si Dieu ne l'a pas dit, aucune mesure de foi ne peut la rendre possible. Ce n'est pas le fait de croire qui rend la Parole de Dieu vraie ; c'est parce que sa Parole est vraie que j'y crois.

La foi est une action

Quand mon fils Karl marchait à peine, je le mettais debout sur la table et je lui demandais de sauter dans mes bras. Karl croyait-il que je le rattraperais ? Oui. Comment pouvais-je savoir qu'il y croyait ? Tout simplement parce qu'il sautait.

Supposons qu'il ne saute pas. Je pourrais l'encourager en disant :

– Tu crois que papa va te rattraper, n'est-ce pas Karl ?

Et il pourrait dire oui. Mais s'il ne saute jamais, il ne pourra jamais vraiment croire que je peux le rattraper. La foi est active et non passive. La foi prend position. La foi fait le pas. La foi s'exprime.

De nombreux chrétiens affirment avoir une grande foi en Dieu, mais ils sont amorphes et n'entreprennent jamais rien. La foi sans l'action n'est pas la foi : elle est morte et elle n'a pas de sens (Jac. 2 : 17-18). Si elle n'est pas exprimée, ce n'est pas la foi. Pour croire en Dieu et en sa Parole, nous devons faire ce qu'il dit. Si nous ne faisons pas ce qu'il dit, nous ne croyons pas vraiment en lui. La foi et l'action sont inséparables.

Malheureusement, une des images courantes de l'Église d'aujourd'hui est celle d'un groupe de personnes qui pensent avoir la foi mais qui agissent peu. Nous sommes reconnaissants pour le pardon de nos péchés et pour notre place préparée au ciel, mais en fin de compte, nous croupissons dans la peur et dans la défaite en attendant impatiemment le retour de Jésus-Christ. L'Église est souvent considérée comme un hôpital où nous nous rassemblons pour comparer nos blessures et pour nous tenir la main, en attendant que Jésus vienne nous chercher.

Mais est-ce là l'image de l'Église dans le Nouveau Testament ? Pas du tout. L'Église d'aujourd'hui ne devrait pas être assimilée à un hôpital, mais plutôt à un poste militaire avancé avec l'ordre d'attaquer les portes de l'enfer ! Tous les croyants sont engagés, appelés à participer à l'accomplissement d'une grande mission (Matt. 28 : 19-20). Heureusement, l'Église a un dispensaire où les faibles et les blessés peuvent être soignés, et ce ministère est nécessaire. Mais ce n'est pas le but de notre existence. Notre vrai but est d'être des instruments de changement dans le monde, par une prise de position, une marche par la foi et des actes concrets accomplis pour Dieu. Vous pouvez dire que vous croyez en Dieu et en sa Parole. Mais si vous n'êtes pas activement engagés pour sa cause, vous ne croyez pas.

Si tu crois, tu peux

Si tu crois que tu es battu – tu l'es.
Si tu crois que tu n'oses pas – tu n'oses pas.
Si tu veux gagner mais doutes de toi,
Tu n'y arriveras certainement pas.
Si tu penses que tu perdras – tu as perdu.
Car dans le monde nous voyons
Que le succès commence par la volonté ;
Tout est dans l'état d'esprit.
Les batailles de la vie ne sont pas remportées
Par le plus rapide ou le plus fort ;
Mais tôt ou tard celui qui gagne
C'est celui qui pense qu'il en est capable[4].

Ce poème reflète une philosophie populaire qui s'appelle la puissance de la pensée positive. La famille chrétienne a eu quelques réticences à accepter ces idées, et à juste titre. La pensée est une fonction du cerveau qui se limite à ce qu'on y introduit et elle ne peut agir au-delà de ses capacités. Essayer de pousser la pensée au-delà

---

4   Auteur et source inconnus.

de ses limites ne fera que nous faire passer du monde de la réalité au monde de l'imaginaire.

Le chrétien, en revanche, a un bien plus grand potentiel de succès dans la vie, et c'est la puissance de la foi positive. La foi inclut la pensée mais ne s'y limite pas. La foi dépasse les limites de la pensée pour inclure le monde invisible mais réel. La foi du croyant est aussi solide que son objet, qui est la Parole de Dieu, vivante (Christ) et écrite (la Bible). Quand l'objet en est le Dieu infini de l'univers, il n'y a pratiquement aucune limite aux sommets spirituels que la foi positive peut nous faire atteindre.

Quelqu'un a dit que le succès vient quand nous croyons que c'est possible et l'échec quand nous pensons que c'est impossible. Le fait de croire que nous pouvons réussir à grandir en maturité chrétienne ne nécessite pas plus d'efforts que de croire que nous ne pouvons pas réussir. Alors pourquoi ne pas croire que je peux marcher par la foi et par l'Esprit, que je peux résister à la tentation du monde, de la chair et de Satan, et que je peux grandir en maturité chrétienne ? La liste suivante donne vingt « je peux » tirés de la Parole de Dieu, qui élargiront votre connaissance de l'objet de votre foi, le Dieu Tout-Puissant. L'édification de votre foi par l'application de ces vérités vous sortira de la boue des « je n'y arriverai pas » pour vous faire asseoir avec Christ dans les lieux célestes.

Les vingt « je peux » de la réussite

1. Pourquoi ne pas le faire quand la Bible dit que je peux faire toutes choses par Christ qui me fortifie (Phil. 4 : 13) ?
2. Pourquoi manquer de quelque chose quand je sais que Dieu dit qu'il pourvoira à tous mes besoins selon sa richesse, avec gloire, en Christ-Jésus (Phil. 4 : 19) ?
3. Pourquoi avoir peur alors que la Bible dit que Dieu ne m'a pas donné un esprit de crainte, mais de puissance, d'amour et de sagesse (2 Tim. 1 : 7) ?
4. Pourquoi manquer de foi pour accomplir ma vocation, sachant que Dieu m'a accordé une mesure de foi (Rom. 12 : 3) ?

5. Pourquoi être faible quand la Bible dit que le Seigneur est la force de ma vie et que je peux agir fermement parce que je connais Dieu (Ps. 27 : 1 ; Dan. 11 : 32) ?

6. Pourquoi permettre à Satan de dominer ma vie alors que celui qui est en moi est plus grand que celui qui est dans le monde (1 Jean 4 : 4) ?

7. Pourquoi accepter la défaite quand la Bible dit que Dieu me conduit toujours à la victoire (2 Cor. 2 : 14) ?

8. Pourquoi manquer de sagesse alors que Christ est devenu sagesse pour moi et que Dieu me donne généreusement la sagesse quand je la lui demande (1 Cor. 1 : 30 ; Jac. 1 : 5) ?

9. Pourquoi être déprimé quand je peux me rappeler la bonté, la compassion et la fidélité de Dieu et avoir de l'espoir (Lam. 3 : 21-23) ?

10. Pourquoi m'inquiéter quand je peux me décharger de toute mon anxiété sur Christ qui prend soin de moi (1 Pi. 5 : 7) ?

11. Pourquoi être dans l'esclavage quand je sais que la liberté se trouve là où est l'Esprit du Seigneur (Gal. 5 : 1) ?

12. Pourquoi me sentir condamné quand la Bible dit que je ne suis pas condamné parce que je suis en Christ (Rom. 8 : 1) ?

13. Pourquoi me sentir seul quand Jésus dit qu'il est toujours avec moi et qu'il ne m'abandonnera jamais (Matt. 28 : 20) ?

14. Pourquoi me sentir maudit ou penser que je suis victime de malchance alors que la Bible dit que Christ m'a racheté de la malédiction de la Loi pour que je puisse recevoir son Esprit (Gal. 3 : 13-14) ?

15. Pourquoi être insatisfait quand, comme Paul, je peux me contenter de l'état dans lequel je me trouve (Phil. 4 : 11) ?

16. Pourquoi me croire sans valeur quand Christ est devenu péché à ma place pour que je puisse devenir justice de Dieu en lui (2 Cor. 5 : 21) ?

17. Pourquoi avoir un complexe de persécution, sachant que personne ne peut être contre moi car Dieu est avec moi (Rom. 8 : 31) ?

18. Pourquoi être dans la confusion quand Dieu est l'auteur de la paix et qu'il me donne la connaissance par son Esprit qui habite en moi (1 Cor. 14 : 33 ; 2 : 12) ?

19. Pourquoi ne voir que mes échecs quand je suis plus que vainqueur en toutes choses par Christ (Rom. 8 : 37) ?

20. Pourquoi laisser toutes les pressions de la vie m'abattre quand je peux être encouragé par la victoire de Jésus sur le monde et ses tribulations (Jean 16 : 33) ?

Et si je trébuche dans la marche par la foi ?

Avez-vous jamais pensé que Dieu vous laissera tomber si, au lieu de marcher avec confiance dans la foi, vous ne cessez de trébucher et de tomber ? Avez-vous parfois peur qu'il y ait une limite à la tolérance de Dieu par rapport à vos échecs et que vous vous rapprochez dangereusement de cette frontière ou même que vous l'avez déjà dépassée ? J'ai rencontré de nombreux chrétiens qui le pensent. Ils s'imaginent que Dieu n'est pas content d'eux, qu'il va bientôt les abandonner ou qu'il l'a déjà fait parce que leur comportement quotidien n'atteint pas la perfection.

C'est vrai que la marche par la foi peut parfois être interrompue par des moments de doute ou de rébellion, ou même par les attaques mensongères de Satan. Pendant ces moments-là, nous pensons que Dieu a sûrement perdu patience à notre égard et qu'il est prêt à nous laisser tomber. Et comment réagissons-nous quand nous pensons que Dieu a abandonné la partie ? Nous abandonnons aussi. Nous arrêtons de marcher par la foi ou nous nous écroulons, découragés, au bord de la route en nous disant : « Ça n'en vaut pas la peine ». Nous nous sentons abattus, l'œuvre de Dieu est interrompue et Satan se réjouit.

Dieu vous aime exactement comme vous êtes

Pour que notre amour reste fort, une vérité fondamentale doit rester continuellement présente à nos esprits : l'amour de Dieu et son accueil sont inconditionnels.

Quand notre marche par la foi est forte, Dieu nous aime. Quand notre marche par la foi est faible, Dieu nous aime. Quand nous sommes forts un instant et faibles l'instant suivant, forts un jour et faibles le suivant, Dieu nous aime. L'amour de Dieu pour nous est la grande constante éternelle au milieu de toutes les inconstances de notre marche quotidienne.

Quand Marion est venue me voir, elle semblait avoir sa vie bien en main. Elle était chrétienne et très active dans son église. Elle avait conduit son père alcoolique à Christ alors qu'il était sur son lit de mort. Elle était jolie, avait un mari sympathique et deux merveilleux enfants. Pourtant, elle avait essayé de se suicider au moins trois fois.

– Comment Dieu peut-il m'aimer ? pleura Marion. Ma vie est fichue, je ne suis bonne à rien.

– Marion, Dieu t'aime, pas parce que tu es aimable, mais parce que c'est dans sa nature de t'aimer. Dieu t'aime – sans plus – parce que Dieu est amour.

– Mais quand j'agis mal, je n'ai pas l'impression que Dieu m'aime, répondit-elle.

– Ne te base pas sur ces impressions. Il aime tous ses enfants tout le temps, qu'ils soient bons ou mauvais. C'est dans sa nature. Quand les 99 brebis sont rentrées à la bergerie, le cœur du berger était avec la seule qui était perdue. Quand le fils prodigue a gaspillé sa vie et son héritage, le cœur du père était avec lui, et il l'a accueilli à bras ouverts. Ces paraboles nous montrent que le cœur de Dieu est plein d'amour pour nous.

– Mais j'ai essayé de me suicider, Neil. Dieu ne peut certainement pas accepter cela ?

– Marion, imagine que ton fils se mette à déprimer et décide de se tuer. Est-ce que tu l'aimerais moins pour cela ? Le chasserais-tu de la famille ? Lui tournerais-tu le dos ?

– Bien sûr que non. J'aurais probablement de la peine pour lui et j'essayerais de l'aimer d'autant plus.

– Voudrais-tu dire qu'un Dieu parfait n'est pas un aussi bon parent pour toi que toi, une personne imparfaite, tu l'es pour tes enfants ?

Marion comprit. Elle commença à admettre que Dieu, un père plein d'amour, puisse regarder au-delà des faiblesses et pardonner le péché.

Dieu vous aime quoi que vous fassiez

Bien sûr, Dieu veut que nous fassions le bien. L'apôtre Jean a écrit : « Je vous écris ceci, afin que vous ne péchiez pas » (1 Jean 2 : 1). Mais Jean continue en nous rappelant que Dieu a déjà tout prévu en cas de péché pour que son amour puisse être constant malgré ce que nous faisons : « Et si quelqu'un a péché, nous avons un avocat auprès du Père, Jésus-Christ le juste. Il est lui-même victime expiatoire pour nos péchés, non seulement pour les nôtres, mais aussi pour ceux du monde entier » (1 Jean 2 : 1-2).

Si nous doutons de l'amour de Dieu, c'est bien souvent à cause de l'adversaire qui utilise chaque petite offense pour nous accuser d'être des bons à rien. Mais notre avocat, Jésus-Christ, est plus puissant que notre adversaire. Il a annulé la dette de nos péchés passés, présents et futurs. Quoi que nous fassions ou quels que soient nos échecs, Dieu n'a aucune raison de ne pas nous aimer ou ne pas nous accepter complètement.

Quand nos enfants étaient petits, un jeune couple qui avait fait du baby-sitting pour nous leur a donné à chacun un hamster. Les enfants ont appelé leur hamster du même nom que le couple. Celui de Karl s'appelait Johnny et celui d'Heidi s'appelait Patricia.

Un soir, en rentrant du travail, ma femme, Joanne, m'attendait sur le pas de la porte.

– Tu devrais parler à Karl, me dit-elle solennellement.

– Qu'est-ce qui s'est passé ?

– Je pense que Karl a joué avec son hamster en le lançant en l'air cet après-midi.

Je suis allé trouver Karl et je lui ai demandé tout de go :

– Est-ce que tu as lancé Johnny cet après-midi ?

– Non, répondit-il fermement.

– Si, il l'a fait. Si, il l'a fait, accusa Heidi, comme seule une grande sœur peut le faire. Ils se chamaillèrent quelques instants, mais Karl ne voulait pas admettre avoir lancé son hamster.

Malheureusement pour le pauvre Karl, son copain l'avait vu et a confirmé son acte.

Une fois de plus, je suis allé parler à Karl, cette fois avec une de ces grandes battes de base-ball en plastique qui font beaucoup de bruit sur le derrière d'un enfant sans faire beaucoup de mal.

– Karl, le fait de lancer Johnny n'est pas si grave. Mais je voudrais que tu sois honnête avec moi. Est-ce que tu l'as lancé ?

– Non. *Pan !*

– Karl, dis-moi la vérité. Est-ce que tu as lancé Johnny ?

– Non. *Pan !*

Quelles que fussent mes menaces, Karl ne voulait pas avouer. J'étais irrité, j'ai finalement laissé tomber.

Quelques jours plus tard, Joanne m'accueillit de nouveau sur le pas de la porte.

– Tu devrais parler à Karl.

– Qu'est-ce qui s'est passé encore ?

– Johnny est mort.

J'ai trouvé Karl dans le jardin pleurant son petit hamster qui était étendu sur un petit morceau de tissu. Nous avons parlé de la mort, puis nous avons enterré Johnny et nous avons été au magasin acheter un nouveau hamster.

Le lendemain, Joanne m'accueillit encore à la porte.

– Et maintenant, qu'est-ce qui ne va pas ? soupirai-je.

– Karl a déterré Johnny.

J'ai de nouveau trouvé Karl dans le jardin, pleurant un petit hamster tout raide et couvert de terre, qui était couché sur un petit morceau de tissu.

– Karl, je pense que nous avons oublié de faire un enterrement chrétien pour Johnny.

Alors, j'ai fait une petite croix avec deux bâtons et Karl et moi avons encore parlé de la mort. Nous avons de nouveau enterré Johnny et mis la croix sur la tombe.

– Karl, je pense que tu devrais prier maintenant, ai-je dit.

– Non, papa. Toi, prie.

– Karl, Johnny était ton hamster. Je pense que tu as besoin de prier.

Finalement il donna son accord. Voici sa prière :

– Seigneur Jésus, aide-moi à ne pas lancer mon nouveau hamster.

Ce que je ne pouvais pas soutirer de lui avec une batte en plastique, Dieu l'a retiré de son cœur.

Pourquoi Karl m'a-t-il menti ? Il pensait que l'aveu de sa faute lui aurait fait perdre mon amour. Il était prêt à mentir pour garder mon amour et mon respect.

Je me suis abaissé et j'ai mis mes bras autour de mon petit garçon.

– Karl, je veux que tu saches quelque chose. Quoi que tu fasses dans la vie, je vais toujours t'aimer. Tu peux être honnête avec moi et me dire la vérité. Je ne serai peut-être pas toujours d'accord avec ce que tu fais, mais je t'aimerai toujours.

Ce que j'ai dit à Karl ce jour-là n'est que le pâle reflet de l'amour que Dieu a pour vous. Il vous dit : « Je veux que tu saches quelque chose. Quoi que tu fasses dans la vie, je vais toujours t'aimer. Tu peux être honnête avec moi et me dire la vérité. Je ne serai peut-être pas toujours d'accord avec ce que tu fais, mais je t'aimerai toujours ».

Dieu veut que nous acceptions notre identité en lui et que nous vivions comme des enfants de Dieu devraient vivre. Mais même quand nous oublions qui nous sommes, il nous aime toujours. Il veut que nous marchions par l'Esprit et par la foi. Mais même si nous trébuchons sur la route, il nous aime encore.

CHAPITRE 7

Ce que nous vivons se limite à ce que nous croyons

Quand mon fils Karl avait environ 10 ans, je l'ai initié au golf. Je lui ai donné un jeu de clubs pour débutant et je l'ai emmené avec moi au terrain de golf. Karl posait sa balle sur le tee et la balayait avec toute son énergie. Généralement, la balle volait dans toutes les directions. Mais comme il ne pouvait la frapper qu'à 60 ou à 70 mètres au plus et que son coup déviait de 15 degrés environ, sa balle restait toujours sur le fairway.

Après quelques années, avec un plus grand jeu de clubs, Karl pouvait projeter la balle à 150 mètres ou plus. Mais si son coup déviait encore de 15 degrés, sa balle ne restait plus sur le fairway ; en général, elle partait dans l'herbe haute. La précision est encore plus importante pour les golfeurs qui peuvent envoyer la balle à 200, voire 250 mètres. Les mêmes 15 degrés qui permettaient aux coups du petit Karl de rester sur le fairway dévieront la balle du professionnel loin de son objectif.

Cette illustration simple au sujet de Dieu et de nous-mêmes décrit un aspect important de la vie par la foi : notre marche chrétienne est le résultat direct de ce que nous croyons au sujet de Dieu et de nous-même. Si notre foi dévie, notre marche déviera. Si notre marche dévie, c'est certainement parce que notre foi dévie. Lorsque nous étions de jeunes chrétiens, nous avions besoin de temps pour apprendre à « frapper droit » dans notre foi. Nous pouvions dévier de 15 degrés dans ce que nous croyions et toujours rester sur le fairway parce que nous étions encore en pleine croissance et que nous avions encore beaucoup à apprendre. Mais plus nous persistons dans un ensemble d'idées erronées, moins notre marche quotidienne dans la foi sera épanouissante et productive. Nous pouvons encore nous en tirer avec des idées approximatives quand nous sommes jeunes, mais en grandissant, nous finirons par trébucher dans les hautes herbes ou nous serons spirituellement hors des limites.

Certains chrétiens pensent que marcher par la foi signifie être emporté par un sentiment intérieur mystérieux, impalpable et indescriptible appelé la foi – un peu comme « la force » rendue populaire par des films comme *La Guerre des étoiles*. Mais la marche par la foi est beaucoup plus pratique et définissable. Marcher par la foi signifie simplement que nous agissons dans la vie quotidienne en fonction de ce que nous croyons. En fait, nous marchons toujours par la foi ; nous ne pouvons pas *ne pas* marcher par la foi. Ce que nous croyons détermine notre comportement. Si notre comportement dévie dans un certain domaine, nous devrons corriger ce que nous croyons dans ce domaine, parce que l'erreur dans notre comportement est la conséquence de l'erreur dans ce que nous croyons. Comment pouvons-nous donc savoir ce que nous croyons vraiment ?

Voici un exercice que j'appelle l'« Évaluation de la valeur personnelle » qui vous permettra d'identifier ce que vous croyez. Prenez quelques minutes pour faire cet exercice. Faites une évaluation simple de vous-même dans chacune des huit catégories en entourant le nombre de un à cinq qui vous représente le mieux. Complétez ensuite chacune des huit affirmations aussi succinctement et honnêtement que possible.

Évaluation de la valeur personnelle

	Peu		Beaucoup		
Est-ce que j'ai du succès ? *J'aurais plus de succès si...*	1	2	3	4	5
Est-ce que j'ai de la valeur *J'aurais plus de valeur si...*	1	2	3	4	5
Est-ce que je suis épanoui ? *Je serais plus épanoui si...*	1	2	3	4	5
Est-ce que je suis satisfait ? *Je serais plus satisfait si...*	1	2	3	4	5
Est-ce que je suis heureux ? *Je serais plus heureux si...*	1	2	3	4	5
Est-ce que je m'amuse ? *Je m'amuserais plus si...*	1	2	3	4	5
Est-ce que je suis en sécurité ? *Je serais plus en sécurité si...*	1	2	3	4	5
Est-ce que je suis en paix ? *Je serais plus en paix si...*	1	2	3	4	5

Ce que vous pensez être la réponse à «J'aurais plus de succès si…», «J'aurais plus de valeur si…», etc. constitue l'ensemble
de vos croyances de base. En supposant que vos besoins physiolo-
giques fondamentaux (la nourriture, le logis, etc.) soient satisfaits,
votre motivation dans la vie sera ce qui d'après vous vous apportera
le succès, la valeur, l'épanouissement, la satisfaction, le bonheur,
l'amusement, la sécurité et la paix. Et si ce que vous croyez dans ces
huit domaines ne correspond pas à ce que Dieu en dit, votre marche
par la foi sera faussée dans la même mesure que vos idées le sont.

Les sentiments donnent le signal d'alarme de Dieu

Je crois que Dieu désire que tous ses enfants aient du succès,
soient épanouis, en sécurité, etc. : ne le croyez-vous pas ? Depuis la
naissance, vous avez développé en vous les moyens d'atteindre ces
huit objectifs dans la vie, et bien d'autres encore. Consciemment ou
inconsciemment, vous continuez à formuler ou à ajuster vos plans
pour atteindre ces buts.

Mais parfois, vos plans bien conçus et vos objectifs apparemment nobles ne sont pas complètement en harmonie avec les plans
et les objectifs de Dieu pour vous.

– Comment puis-je savoir si ce que je crois est bon ? pourriez-
vous vous demander.

– Dois-je attendre d'avoir 45 ans ou dois-je passer par une
crise pour découvrir que ce que je croyais dans ces huit domaines
était faux ?

Je ne le pense pas. Je crois que Dieu nous a conçus de telle
manière que nous pouvons savoir à chaque instant si l'ensemble de
ce que nous croyons s'aligne sur la vérité de Dieu. Dieu a prévu un
système de « feedback » pour attirer notre attention et ainsi examiner
la validité de nos objectifs. Ce système, ce sont nos émotions. Quand
une expérience ou une relation nous donne des sentiments de colère,
d'anxiété ou de dépression, ces signaux émotionnels sont là pour
attirer notre attention et nous dire que nous poursuivons peut-être
un objectif erroné, fondé sur une mauvaise idée.

La colère signale que la poursuite d'un objectif est bloquée

Quand notre activité dans une relation ou un projet provoque des sentiments de colère, c'est généralement parce que quelqu'un ou quelque chose nous a bloqué dans notre poursuite du but fixé. Tout objectif dont la réalisation peut être bloquée par des forces que nous ne pouvons pas maîtriser (autres que Dieu) est un mauvais objectif, parce que le succès dans ce domaine n'est pas entre nos mains. Une épouse et mère pourrait dire :

– Mon but est d'avoir une famille aimante, harmonieuse et heureuse.

Qui peut empêcher cette mère d'atteindre son but ? Chaque membre de sa famille peut le faire – et ils le *feront* ! Une mère au foyer dont la valeur personnelle dépend de sa famille explosera chaque fois que son mari ou ses enfants ne correspondront pas à son image d'harmonie familiale. Elle sera probablement une femme souvent en colère, ce qui l'éloignera encore davantage des membres de sa famille et les éloignera les uns des autres.

Un pasteur pourrait dire :

– Mon but dans mon ministère est de gagner cette communauté pour Christ.

Un bon but ? C'est peut-être un désir merveilleux, mais si sa valeur personnelle dépend de l'accomplissement de ce désir, il connaîtra une lutte intérieure terrible. Chaque personne de la communauté peut bloquer la réalisation de son objectif. De plus, la moitié de l'église et deux anciens *le feront* certainement. Les pasteurs qui continuent à croire que leur succès dépend des autres finiront par se battre avec les anciens, par prier pour que l'opposition quitte l'église ou par abandonner.

Les sentiments de colère devraient nous pousser à réexaminer d'une part ce que nous croyons et d'autre part les objectifs intérieurs que nous avons élaborés pour accomplir ce que nous croyons. Ma fille Heidi m'a aidé dans cette réflexion un dimanche matin, alors que j'essayais d'activer ma famille à partir. Je fulminais dans la voiture depuis quelques minutes avant de retourner dans la maison, furieux, en criant :

– On aurait dû quitter la maison depuis un quart d'heure !

Tout était calme pendant un instant, puis la douce voix d'Heidi flotta jusqu'à moi depuis sa chambre :

– Qu'est-ce qui se passe, papa, quelqu'un t'empêche de réaliser ton objectif ?

C'est la question que nous avons tous besoin d'entendre quand nous commençons à pester parce que quelque chose ne va pas comme prévu.

L'anxiété signale qu'un objectif est incertain

Quand nous nous sentons anxieux dans une tâche ou une relation, notre anxiété peut signaler l'incertitude face à l'objectif que nous avons choisi. Nous espérons que quelque chose arrivera, mais nous n'avons aucune garantie à ce sujet. Nous pouvons contrôler certains facteurs, mais pas tous.

Par exemple, une adolescente peut croire que son bonheur à l'école dépend de l'autorisation de ses parents d'aller à une soirée dansante. Comme elle ne sait pas comment ils vont réagir, elle est anxieuse. S'ils disent non, elle sera en colère, parce qu'on l'empêche de réaliser son objectif. Mais si elle sait dès le départ qu'il n'y a aucune chance qu'ils disent oui, elle sera déprimée parce que son objectif ne sera jamais atteint.

La dépression signale qu'un objectif est impossible

Quand nous basons notre réussite sur quelque chose qui ne pourra jamais arriver, nous avons un objectif impossible, sans espoir. Notre dépression est le signal que notre but, même s'il est spirituel et noble, ne pourra jamais être atteint. Je sais que certaines formes de dépression peuvent être causées par des déséquilibres chimiques. Mais s'il n'y a aucune explication physiologique à la dépression, alors elle est l'expression du désespoir.

Je parlais lors d'une conférence dans une église quand une femme qui y participait m'invita à dîner chez elle avec sa famille. Cette femme était chrétienne depuis 20 ans, mais son mari ne l'était pas. Après être arrivé, je compris rapidement que la vraie raison de l'invitation était de me permettre de gagner son mari à Christ.

J'ai découvert que cette femme était gravement déprimée depuis de nombreuses années. Son psychiatre affirmait que la dépression était endogène et la patiente était tout à fait d'accord. Mais je crois que sa dépression provenait d'un objectif impossible à réaliser. Pendant 20 ans, elle avait basé sa réussite en tant que chrétienne sur le fait de gagner son mari et ses enfants à Christ. Elle priait pour eux, témoignait auprès d'eux et invitait des prédicateurs visiteurs à venir dîner chez eux. Elle avait dit tout ce qu'elle pouvait dire et fait tout ce qu'elle pouvait faire, mais sans résultat. Et, plus elle reconnaissait la futilité de ses efforts, plus sa foi faiblissait, son espoir diminuait et sa dépression grandissait.

> **La dépression signale souvent que nous nous raccrochons désespérément à un objectif que nous avons peu ou pas de chances d'atteindre, et cet objectif n'est pas sain.**

Malheureusement pour elle, je ne l'ai pas aidée à se rapprocher de son objectif. Nous avons eu un dîner agréable et j'ai engagé une conversation sympathique avec son mari. C'était un homme bon qui pourvoyait aux besoins matériels de sa famille. Il ne voyait aucune nécessité d'avoir Dieu dans sa vie. J'ai parlé avec lui de ma vie et de mon ministère, mais je n'ai pas imposé ma foi. J'espère avoir été un exemple positif d'un chrétien. La dernière fois que j'ai vu sa femme, elle s'attachait à un mince filet d'espoir. Comme sa dépression s'accentuait, son témoignage envers son mari ne faisait que s'affaiblir, l'éloignant encore davantage de son objectif.

Bien sûr, nous devrions désirer que nos proches viennent à Christ, et prier et agir à cette fin. Mais quand nous basons notre valeur en tant qu'ami, parent et enfant sur le salut de nos proches, la réalisation de ce but peut dépasser ce que nous pouvons ou avons le droit de maîtriser. Chaque personne peut choisir de ne pas répondre à Christ. La dépression signale souvent que nous nous raccrochons désespérément à un objectif que nous avons peu ou pas de chances d'atteindre, et cet objectif n'est pas sain.

Parfois, la dépression qui résulte d'un objectif impossible est liée à une mauvaise conception de Dieu. David écrivait : « Jusques à quand me cacheras-tu ta face ? Jusques à quand aurai-je des soucis dans mon âme […] Jusques à quand mon ennemi s'élèvera-t-il contre moi ? » (Ps. 13 : 2-3). Dieu avait-il réellement oublié David ? Se cachait-il vraiment de David ? Bien sûr que non. David avait une mauvaise conception de Dieu : il pensait que Dieu l'avait abandonné à l'ennemi. Cette mauvaise conception conduisit David à se fixer un objectif impossible : la victoire sur ses ennemis sans l'aide de Dieu. Il n'est pas étonnant qu'il se sente déprimé !

Mais le plus remarquable à propos de David, c'est qu'il n'est pas resté dans la dépression. Il a évalué sa situation et s'est rendu compte :

– Mais oui, je suis un enfant de Dieu. Je vais m'accrocher à ce que je sais de lui, et pas à mes sentiments négatifs.

De la fosse de la dépression, il écrivit : « Mais moi, j'ai confiance en ta bonté. Mon cœur est dans l'allégresse, à cause de ton salut » (v. 6). Il décida ensuite d'exprimer positivement sa volonté : « Je chanterai à l'Éternel, car il m'a fait du bien » (v. 6). Il s'est volontairement écarté de ses mauvaises conceptions et de la dépression qui l'accompagne et s'est tourné vers la source de son espoir.

Si Satan peut détruire votre foi en Dieu, vous perdrez toute source d'espoir. Mais avec Dieu tout est possible. Il est la source de tout espoir. Nous avons besoin d'apprendre à réagir aux situations apparemment sans espoir comme l'a fait David : « Pourquoi t'abats-tu, mon âme, et gémis-tu sur moi ? Attends-toi à Dieu, car je le célébrerai encore ; il est mon salut et mon Dieu » (Ps. 43 : 5).

Les mauvaises réactions face à ceux qui nous freinent dans la poursuite de nos objectifs

Quand quelqu'un base sa valeur personnelle et son succès sur un objectif dont la réalisation peut être bloquée, ou incertaine, voire même impossible, comment réagira-t-il par rapport à ceux qui lui font obstacle ? La plupart du temps, il essayera de dominer ou de manipuler les gens ou les circonstances qui l'empêchent de réussir.

Prenons par exemple le cas d'un pasteur dont l'objectif est d'avoir le meilleur groupe de jeunes possible. Hélas, un des anciens s'oppose à cet objectif parce que, pour lui, un ministère par la musique semble plus important. Chaque fois que le pasteur veut engager un responsable pour les jeunes, sa proposition est refusée par cet ancien qui a beaucoup d'influence au sein du conseil et qui veut d'abord engager un responsable pour la musique. Le pasteur pense que la valeur et le succès de son ministère sont en jeu. Il décide d'aller jusqu'au bout pour écarter les obstacles de son chemin. Pour ce faire, il persuade les autres membres du conseil de soutenir sa cause et demande le soutien de responsables de sa dénomination. Un dimanche, il prêche sur l'importance du ministère parmi les jeunes, pour avoir le soutien de l'assemblée. Pour ce qui est de son opposant, il cherche un moyen de le faire changer d'avis, sinon de l'écarter du conseil. Tout cela parce qu'il croit que sa réussite dans son ministère dépend de la réalisation de son objectif qui est d'avoir un bon groupe de jeunes.

Un autre exemple pourrait être celui d'une mère qui pense que sa valeur personnelle dépend de la bonne éducation de ses enfants. Son but est d'élever des petits chrétiens parfaits qui deviendront pasteurs ou missionnaires. Mais quand les enfants atteignent l'adolescence et commencent à exprimer leur indépendance, leur comportement ne correspond pas toujours à l'idéal de leur mère. Alors, plutôt que de les aider à grandir par l'apprentissage de leur indépendance, elle les écrase. S'ils ne participent pas aux activités auxquelles elle veut qu'ils participent, elle leur refuse toute autre sortie. S'ils n'écoutent pas la musique qu'elle veut, elle leur supprime tous les programmes de télévision ou de radio. Elle doit dominer tout leur comportement parce qu'elle croit que sa réussite en tant que mère en dépend.

Il n'est pas difficile d'imaginer pourquoi les gens essaient de dominer les autres. Ils croient que leur valeur personnelle dépend des autres et des circonstances. C'est un mauvais raisonnement, dont l'ineptie s'illustre dans le fait que ce sont justement les personnes qui se sentent le moins en sécurité qui cherchent à manipuler et à dominer les autres.

L'individu qui ne peut pas dominer ceux qui freinent la réalisation de ses objectifs réagira probablement par l'amertume, la colère et la rancœur. Il adoptera peut-être le complexe du martyre, qu'il m'a semblé percevoir chez la femme dont le mari ne voulait pas se convertir. Elle n'avait pas réussi à le faire entrer dans le Royaume et sa foi et son espoir s'étaient transformés en dépression. Elle s'est donc résignée à porter la croix d'un objectif impossible et de tenir jusqu'à l'enlèvement de l'Église. Mais à moins de rectifier ses buts, elle vivra le reste de sa vie dans une défaite amère.

Comment transformer de mauvais objectifs en bons objectifs ?

Laissez-moi vous poser une question pour stimuler votre foi : si Dieu veut que quelque chose soit fait, est-ce que cela peut l'être ? En d'autres mots, si Dieu a un objectif pour notre vie, son accomplissement peut-il être bloqué, est-il incertain ou impossible ?

Je suis personnellement convaincu qu'aucun objectif de Dieu pour ma vie n'est impossible ou incertain, ni ne peut être bloqué. Imaginez que Dieu dise :

– Je t'ai donné l'existence, j'ai fait de toi mon enfant et j'ai une tâche pour toi. Je sais que tu ne seras pas capable de l'accomplir, mais fais de ton mieux.

C'est ridicule ! C'est comme si je disais à mon enfant :

– Je veux que tu tondes la pelouse. Malheureusement, la pelouse est pleine de cailloux, la tondeuse ne fonctionne pas et il n'y a plus d'essence. Mais fais de ton mieux.

Dieu avait un objectif époustouflant pour une jeune fille appelée Marie. Un ange lui a dit qu'elle enfanterait un fils alors qu'elle était vierge, et que son fils serait le Sauveur du monde. Quand elle l'interrogea sur cet exploit apparemment improbable, l'ange répondit simplement : « Rien n'est impossible à Dieu » (Luc 1 : 37).

Vous ne donneriez pas à votre enfant une tâche impossible à accomplir. De même, Dieu ne vous confie pas des objectifs que vous ne pouvez pas réaliser. Ses buts pour vous sont possibles, certains et réalisables. La seule condition pour avoir du succès, c'est votre réponse. Vous devez dire avec Marie : « Voici la servante du Seigneur ; qu'il me soit fait selon ta parole » (Luc 1 : 38).

Des objectifs ou des désirs ?

Pour réussir à accomplir les objectifs de Dieu, il faut apprendre à distinguer entre un objectif et un désir, même s'ils sont tous deux selon Dieu. C'est une distinction importante car elle peut faire la différence entre la réussite et l'échec, la paix intérieure ou la douleur intérieure pour le chrétien.

Un objectif selon Dieu est un but précis, conforme à sa volonté pour notre vie, dont la réalisation ne dépend pas d'autres personnes ou de circonstances sur lesquelles nous n'avons ni la capacité ni le droit d'exercer le moindre contrôle. Qui sommes-nous capables de maîtriser ou qui avons-nous le droit de contrôler ? Personne à part nous-même. La seule personne qui peut bloquer la réalisation d'un objectif selon Dieu, le rendre incertain ou impossible, c'est nous-même. Mais si, au contraire, nous adoptons une attitude de coopération avec les objectifs de Dieu, comme l'a fait Marie, notre objectif pourra être atteint.

Un désir selon Dieu est un but précis dont la réalisation dépend de la coopération d'autres personnes, de la réussite des événements ou de circonstances favorables que nous ne pouvons pas maîtriser. Nous ne pouvons pas fonder notre valeur personnelle et notre réussite personnelle sur nos désirs, même s'ils sont conformes à la volonté de Dieu, parce que nous ne pouvons pas maîtriser leur accomplissement. Certains de nos désirs peuvent être bloqués, d'autres sont incertains, et d'autres encore sont impossibles.

Quand un désir est élevé, à tort, au rang d'objectif, et que cet objectif échoue, nous devons faire face à toute la colère, l'anxiété et la dépression qui peuvent accompagner cet échec. Mais en comparaison, si un désir n'est pas accompli, nous ne rencontrons que la déception. La vie est pleine de déceptions et nous devons tous apprendre à les accepter. C'est beaucoup plus facile d'accepter la déception quand les désirs sont irréalisés que de faire face à la colère, l'anxiété et la dépression qui résultent d'objectifs basés sur de mauvais fondements.

Nous ferions bien de faire la distinction entre les désirs et les objectifs comme Dieu le fait. Par exemple, Dieu dit au sujet du péché : « Mes petits enfants, je vous écris ceci, afin que vous ne péchiez pas » (1 Jean 2 : 1). Dieu désire certainement que nous ne péchions pas, mais est-ce pour lui un objectif, tel qu'il a été défini précédemment ? Ce n'est pas son objectif parce qu'il peut être bloqué par tous ceux qui refusent la repentance. Mais Dieu *désire* que tous se repentent alors même que tous ne le feront pas.

En revanche, Dieu a-t-il des objectifs réels, des buts précis dont la réalisation ne peut pas être bloquée ? Gloire à Dieu, *oui* ! Par exemple, Jésus-Christ reviendra et nous emmènera au ciel avec lui pour toujours – c'est certain. Satan sera jeté dans l'abîme pour l'éternité – comptez-y. Des récompenses seront distribuées aux saints pour leur fidélité – réjouissez-vous à l'avance. Ce ne sont pas des désirs qui peuvent être déjoués par la volonté de l'homme. Ce que Dieu a décidé de faire, il le fera.

Quand nous commençons à calquer nos objectifs sur les objectifs de Dieu et nos désirs sur les désirs de Dieu, nous débarrassons notre vie de beaucoup de colère, d'anxiété et de dépression. La mère de famille qui veut une famille heureuse et harmonieuse exprime un désir selon Dieu, mais elle ne peut pas garantir que cela arrivera un jour. Elle ferait mieux de ne pas en faire un objectif si elle ne veut pas être une boule de colère et d'amertume, ce qui viendrait encore plus perturber l'harmonie de la famille.

Au contraire, elle devrait décider :

– Je vais être la mère et l'épouse que Dieu veut que je sois.

C'est un objectif formidable ! Est-ce impossible ou incertain ? Non, parce que c'est aussi l'objectif de Dieu pour elle, et rien n'est impossible à Dieu. Qui peut bloquer la réalisation de son objectif ? Elle est la seule à pouvoir le faire. Tant qu'elle coopère avec Dieu dans son objectif pour elle, sa réussite est garantie.

– Et si mon mari passe par la crise de la cinquantaine ou si mes enfants se rebellent ? pourrait-elle protester.

Des problèmes comme ceux-ci ne l'empêcheront pas d'atteindre son but. Au contraire, les difficultés dans la famille devraient l'encourager à poursuivre son engagement. C'est bien dans les difficultés que son mari a besoin d'une épouse selon Dieu, et que ses enfants ont besoin d'une mère selon Dieu. Les difficultés familiales sont simplement de nouvelles occasions pour elle d'accomplir son objectif, être la femme que Dieu veut qu'elle soit.

Le pasteur qui fonde sa valeur personnelle sur l'objectif de gagner sa communauté à Christ, d'avoir le meilleur groupe de jeunes des environs ou d'augmenter les offrandes de 50 %, se dirige à coup sûr droit vers le mur. Ce sont des désirs valables, mais de mauvais objectifs, parce que leur réalisation peut être bloquée par les gens ou par les circonstances. Il devrait plutôt se dire : « Je vais être le pasteur que Dieu veut que je sois ». C'est là un objectif formidable, parce que rien ne peut l'empêcher de l'atteindre.

Des objectifs selon Dieu fondés sur la croissance personnelle

Il devrait vous paraître évident à présent que l'objectif principal de Dieu pour notre vie est la croissance personnelle : le fait de devenir la personne que Dieu veut que nous soyons. Parce que c'est un objectif selon Dieu, personne ne peut bloquer sa réalisation sinon nous-même. Mais il y a certainement beaucoup de distractions, de diversions, de déceptions, d'épreuves, de tentations et de blessures qui viendront perturber cette croissance. Chaque jour, nous luttons contre le monde, la chair et le diable qui sont opposés à ce que nous réussissions à devenir la personne que Dieu veut.

Mais Paul nous rappelle que les tribulations que nous rencontrons sont, en fait, le moyen d'atteindre l'objectif suprême qui est la maturité : « Bien plus, nous nous glorifions même dans les tribulations, sachant que la tribulation produit la persévérance, la persévérance une fidélité éprouvée, et la fidélité éprouvée l'espérance. Or, l'espérance ne trompe pas, parce que l'amour de Dieu est répandu dans nos cœurs par le Saint-Esprit qui nous a été donné » (Rom. 5 : 3-5). Jacques donne un encouragement similaire : « Mes frères, considérez comme un sujet de joie complète les diverses épreuves que vous pouvez rencontrer, sachant que la mise à l'épreuve de votre foi produit la patience. Mais il faut que la patience accomplisse une œuvre parfaite, afin que vous soyez parfaits et accomplis, et qu'il ne vous manque rien » (Jac. 1 : 2-4).

Peut-être pensiez-vous que votre objectif en tant que chrétien était d'échapper aux tribulations. Mais l'objectif de Dieu pour nous est d'atteindre la maturité en Christ, de devenir la personne que Dieu nous a destiné à être. Et il se fait que les tribulations sont les degrés principaux de l'échelle. C'est pour cela que Paul dit que nous pouvons considérer nos tribulations comme un sujet de joie complète. Pourquoi ? Parce que la persévérance dans les tribulations débouche sur la fidélité éprouvée, ce qui est l'objectif de Dieu pour nous.

Supposons qu'une femme chrétienne vienne me voir pour m'exposer sa « tribulation » : son mari vit séparé d'elle. Elle a pour objectif de le faire revenir. Est-ce un objectif selon Dieu ? Non, parce que son mari peut s'y opposer. C'est un désir selon Dieu qui peut entraîner la réussite ou la déception, selon la réaction de son mari.

Mais cette femme a besoin d'espoir dans sa situation. Si je lui dis : « Ne vous inquiétez pas, nous parviendrons à le faire revenir », je la conduis tout droit vers un objectif bloqué et toutes les émotions négatives qui en résultent. Toutes les tentatives de le manipuler pour qu'il revienne provoqueront le genre de comportement qui l'a probablement fait partir en premier lieu. Au contraire, je peux dire : « Je veux vous aider à comprendre cette crise (la persévérance) et à devenir celle que Dieu veut que vous soyez (la fidélité éprouvée). Si auparavant vous n'avez pas été la meilleure épouse que vous pouviez être, voici l'occasion de grandir. Vous pouvez sortir de cette crise en étant quelqu'un de meilleur que vous ne l'étiez au départ (l'espérance), que votre mari revienne ou non ».

Soit dit en passant, un engagement à persévérer et à grandir dans un problème de relation conduit toujours à une solution gagnante. Non seulement vous deviendrez quelqu'un de meilleur tout au long de ce développement, mais c'est de loin le meilleur moyen de gagner un mari, un ami ou un collègue. Nous sommes si attentifs à la façon de devenir ce que Dieu veut que nous soyons dans la relation, que nous n'avons pas le temps d'essayer de changer l'autre personne ou les circonstances.

– Mais si le problème est à 90 % de son côté ? pourriez-vous protester.

Vous ne pouvez rien y faire. Mais en vous engageant à vous changer vous-même, vous êtes responsable d'agir sur ce que vous *pouvez* contrôler. Votre transformation sera peut-être juste ce dont l'autre a besoin pour changer lui-même et rétablir la relation.

Le plus grand service que nous rendent les épreuves et les tribulations dans notre vie est probablement de révéler les mauvais objectifs. C'est dans ces moments de lutte que nos émotions agitent leurs drapeaux d'alarme pour nous signaler des objectifs bloqués, incertains ou impossibles qui sont basés sur nos désirs plutôt que sur le but de Dieu qui est la fidélité éprouvée.

> *Le plus grand service que nous rendent les épreuves et les tribulations dans notre vie est probablement de révéler les mauvais objectifs.*

Certains disent : « Mon mariage est fichu », et ils « résolvent » le problème en changeant de partenaire. Mais si vous pensez que votre premier mariage est fichu, soyez conscient qu'un deuxième mariage a encore moins de chances de réussir. D'autres trouvent que leur emploi est décourageant. Ils changent de travail, pour découvrir que leur nouvel emploi est tout aussi décourageant. Les gens ont tendance à chercher des solutions miracles aux situations difficiles. Mais le plan de Dieu pour nous, c'est que nous nous accrochions et que nous grandissions.

Y a-t-il un moyen plus facile de devenir la personne que Dieu veut, sans passer par des tribulations ? Croyez-moi : j'en cherche. Mais je dois honnêtement dire que dans ma vie ce sont les moments d'épreuve, difficiles et obscurs, qui m'ont conduit au point où j'en suis aujourd'hui. Nous avons besoin d'expériences positives en haut de la montagne, mais le sol fertile à la croissance est toujours en bas, dans les vallées de la tribulation et non sur les sommets. Paul dit : « Le but de cette recommandation, c'est l'amour » (1 Tim. 1 : 5). Remarquez que si vous en faites votre but, alors le fruit de l'Esprit sera l'amour, la joie (au lieu de la dépression), la paix (au lieu de l'anxiété), la patience (au lieu de la colère), etc.

CHAPITRE 8

Les directives
de Dieu pour marcher
par la foi

Il y a quelques années, étant malheureusement en voyage le jour de la fête des mères, j'avais décidé de me racheter en me levant tôt le lendemain matin pour préparer un délicieux petit-déjeuner à l'américaine (avec œufs, saucisses et crêpes) pour toute la famille.

Ce lundi matin-là je me suis donc levé avec le soleil, j'ai fait mon culte personnel et j'ai commencé à préparer le petit-déjeuner. Je mélangeais la pâte à crêpes en chantant joyeusement quand Karl, les paupières lourdes, entra dans la cuisine. Il prit une boîte de céréales et un bol vide et se dirigea vers la table.

– Attends, Karl. Ce matin on ne mange pas de céréales. On va s'asseoir tous ensemble et manger un bon petit-déjeuner avec des crêpes.

– Je n'aime pas les crêpes, papa, marmonna-t-il en ouvrant la boîte de céréales.

– Attends, Karl, insistai-je, sur un ton impatient. On va s'asseoir tous ensemble et manger un bon petit-déjeuner avec des crêpes.

– Mais je n'aime pas les crêpes, papa, répéta-t-il en se préparant à verser les céréales dans le bol.

C'en était trop.

– *Karl, on va s'asseoir tous ensemble et manger un bon petit-déjeuner avec des crêpes*, ai-je hurlé.

Karl referma la boîte de céréales, la jeta dans l'armoire et retourna en fulminant dans sa chambre. Mon idée merveilleuse, mon but admirable et une belle matinée étaient gâchés. J'ai dû demander pardon à Karl d'avoir explosé.

Vous avez probablement déjà souffert comme moi lorsque la réalisation de vos objectifs était bloquée, comme je l'ai décrit au chapitre précédent. Vous aviez de magnifiques intentions de faire quelque chose de merveilleux pour Dieu, pour votre église, pour votre famille ou pour un ami. Votre plan a ensuite été totalement perturbé par une journée mouvementée dont vous n'étiez pas du tout responsable. Un bouchon sur l'autoroute vous a empêché d'être au travail à l'heure. Votre mari était en retard pour le dîner de fête que vous aviez prévu. Votre enfant a décidé d'être guitariste dans un groupe de rock au lieu d'être médecin comme vous l'aviez voulu. Vous n'avez pas réussi à imposer votre point de vue à la réunion du conseil.

Quand nous basons notre valeur personnelle sur la réussite de nos plans personnels, notre vie est une longue course sur les montagnes russes de nos émotions. Et le seul moyen de sortir du circuit, c'est de marcher par la foi en se basant sur les vérités de la Parole de Dieu.

De bonnes lignes directrices pour une bonne marche

Du point de vue du diable, s'il ne peut pas nous garder enchaînés dans les ténèbres spirituelles ou nous transformer en épave émotionnelle, la meilleure chose qui lui reste, c'est de semer la confusion dans ce que nous croyons. Il nous a perdus en ce qui concerne l'éternité quand nous sommes devenus des enfants de Dieu. Mais s'il peut brouiller nos pensées et affaiblir notre foi par des semi-vérités, il pourra neutraliser notre efficacité pour Dieu et freiner notre croissance chrétienne.

Nous avons déjà vu que Dieu veut que nous ayons du succès, que nous soyons heureux, épanouis, etc. Mais il est essentiel pour notre maturité spirituelle que ce que nous croyons concernant le succès, la valeur, l'épanouissement, la satisfaction, l'amusement, la sécurité et la paix soit fermement ancré dans les Écritures. Dans ce chapitre, je voudrais passer en revue chacun de ces domaines et les examiner à la lumière de la Parole de Dieu. Comparez ces huit descriptions avec les huit affirmations que vous avez écrites dans l'évaluation de la valeur personnelle du chapitre précédent. Ces descriptions vous permettront peut-être de faire certaines modifications vitales qui remettront votre balle au milieu du fairway.

Le succès – Idée de base : les objectifs

Il y a quelques années, une jeune femme vint me parler. Maguy était chrétienne, mais sa vie était en ruines. Elle entendait des voix démoniaques et souffrait de nombreux problèmes.

Maguy me dit qu'elle s'était approprié la première partie de 3 Jean 2 comme une promesse personnelle : « Bien-aimé, je souhaite que tu prospères à tous égards et que tu sois en bonne santé ».

– Si Dieu m'a promis la prospérité, le succès et la santé, pourquoi ma vie est-elle dans une telle confusion ? se plaignit-elle.

– Le verset continue, lui dis-je, lis la suite.

– « Comme prospère ton âme », ajouta-t-elle.

Je lui demandai à brûle-pourpoint :

– Comment va ton âme ?

Maguy me raconta alors sa triste histoire. Elle avait subi trois avortements suite à des liaisons sexuelles illicites et vivait à l'époque avec un autre homme en dehors du mariage. Mais Maguy s'accrochait désespérément à une promesse incomplète et, par conséquent, sa vie sortait des limites. Sa vie était un échec parce qu'elle s'était fixé de mauvais objectifs.

Le succès est directement lié aux objectifs. Si, dans votre évaluation personnelle du chapitre précédent, vous avez placé votre succès au bas de l'échelle, vous avez probablement du mal à atteindre vos objectifs dans la vie. Et si vous n'atteignez pas vos objectifs, c'est probablement parce qu'ils sont mauvais.

Un bon résumé de l'objectif de Dieu pour nous se trouve dans
2 Pierre 1 : 3-10 (*Bible du Semeur*) :

> Par sa puissance, en effet, Dieu nous a donné tout ce qu'il
> faut pour vivre dans l'attachement au Seigneur, en nous
> faisant connaître celui qui nous a appelés par la manifestation
> de sa propre gloire et l'intervention de sa force. Ainsi, nous
> bénéficions des dons infiniment précieux que Dieu nous avait
> promis. Il a voulu, par ces dons, vous rendre conformes à ce
> que Dieu est, vous qui avez fui la corruption que les mauvais
> désirs font régner dans ce monde.
>
> Pour cette raison même, faites tous vos efforts pour ajouter
> à votre foi la force de caractère, à la force de caractère la
> connaissance, à la connaissance la maîtrise de soi, à la maîtrise
> de soi l'endurance dans l'épreuve, à l'endurance l'attachement
> à Dieu, à cet attachement l'affection fraternelle et à l'affection
> fraternelle l'amour.
>
> Car si vous possédez ces qualités, et si elles grandissent sans
> cesse en vous, elles vous rendront actifs et vous permettront de
> connaître toujours mieux notre Seigneur Jésus-Christ. Car celui
> à qui elles font défaut est comme un aveugle, il ne voit pas clair.
> Il a oublié qu'il a été purifié de ses péchés d'autrefois.
>
> C'est pourquoi, frères, puisque Dieu vous a appelés et choisis,
> redoublez d'efforts pour éprouver dans toute leur force les effets
> de cet appel et de ce choix : car si vous agissez ainsi, vous ne
> tomberez jamais.

Notez que l'objectif de Dieu commence par ce que nous sommes
sur la base de ce que Dieu a déjà fait pour nous. Il nous a donné « tout
ce qu'il faut pour vivre dans l'attachement au Seigneur » ; la justification a déjà eu lieu et la sanctification a déjà commencé. Nous
participons à la nature divine, en ayant fui – le temps utilisé est au
passé – la corruption du péché. Quel bon départ !

Notre tâche principale consiste maintenant à :

1. Adopter les objectifs de Dieu pour notre être intérieur (la pureté morale, la connaissance, la maîtrise de soi, l'endurance, l'attachement à Dieu, l'affection fraternelle et l'amour chrétien).
2. De les mettre en pratique dans notre vie.

Si nous gardons les yeux fixés sur les objectifs de Dieu, nous connaîtrons le summum du succès : le succès à l'échelle de Dieu. Pierre promet que, si ces qualités augmentent dans notre vie par la pratique, nous serons utiles, nous porterons du fruit et nous ne tomberons jamais. Voilà la clé du succès !

Remarquez aussi que cette liste ne mentionne pas les talents ou les dons qui ne sont pas répartis également entre les croyants. Votre valeur personnelle ne dépend pas de ces capacités. Votre valeur se base sur votre identité en Christ et sur votre croissance intérieure, deux choses qui sont pareillement accessibles à tous les chrétiens. Les chrétiens qui ne s'engagent pas à atteindre les objectifs fixés par Dieu pour leur vie intérieure connaissent de tristes histoires d'échec, comme Maguy. D'après Pierre, ils ont oublié qui ils sont. Ils ont perdu de vue leur identité et leur but en Christ.

Un autre point de vue intéressant sur le succès nous est donné par l'expérience de Josué alors qu'il conduisait Israël en Terre Promise. Dieu lui a dit : « Simplement, prends courage et tiens bon pour veiller à obéir à toute la Loi que mon serviteur Moïse t'a prescrite, sans t'en écarter ni d'un côté ni de l'autre. Alors tu réussiras dans tout ce que tu entreprendras » (Josué 1 : 7 – *Semeur*).

Le succès de Josué dépendait-il d'autres personnes ou des circonstances ? Absolument pas. Le succès découlait entièrement de son obéissance. Si Josué croyait ce que Dieu avait dit et faisait ce que Dieu lui avait dit de faire, il aurait du succès. Cela paraît bien simple, mais Dieu a immédiatement mis Josué à l'épreuve en lui présentant un plan de bataille très peu orthodoxe pour conquérir Jéricho. Marcher autour de la ville pendant sept jours et ensuite souffler dans une trompette, ce n'était pas une tactique militaire très en vogue du temps de Josué !

Mais le succès de Josué dépendait de son obéissance à Dieu, même si le plan de Dieu pouvait paraître ridicule. Comme le rapporte Josué 6, le succès de Josué n'avait rien à voir avec les circonstances de la bataille et tout à voir avec l'obéissance. Voilà le modèle que nous devrions imiter : accepter l'objectif de Dieu pour notre vie et le suivre dans l'obéissance. Nous volerons tout droit au centre du fairway vers le succès.

La valeur – Idée de base : le temps

La valeur d'un acte dépend du temps qu'on y consacre. Ce qui est oublié avec le temps a peu de valeur. Au contraire, ce dont on se rappelle pour l'éternité a beaucoup de valeur. Paul écrivit aux Corinthiens : « Si l'œuvre bâtie par quelqu'un [...] subsiste, il recevra une récompense » (1 Cor. 3 : 14). Il enseigna à Timothée : « Entraîne-toi plutôt à rester attaché à Dieu [...] puisqu'il possède la promesse de la vie pour le présent et pour l'avenir » (1 Tim. 4 : 7-8 – *Semeur*). Si vous voulez que votre vie ait de la valeur, consacrez votre énergie à des activités importantes : celles qui subsisteront pour l'éternité.

Bernard, le pasteur d'une petite église, participa à l'un de mes séminaires. Il était marié et dans la trentaine quand il découvrit qu'il avait un cancer. Les médecins lui donnaient moins de deux ans à vivre.

Un jour, Bernard vint me parler.

– Il y a dix ans, quelqu'un a fait une prophétie au sujet de mon ministère dans l'église, commença-t-il. Il a dit que j'allais faire une grande œuvre pour le Seigneur. J'ai conduit quelques centaines de personnes à Christ, mais je n'ai pas encore fait de grande œuvre pour Dieu. Penses-tu que Dieu me guérira pour que cette prophétie puisse s'accomplir ?

Mon visage s'allongea de surprise.

– Tu as conduit quelques centaines de personnes à Christ et tu ne penses pas avoir accompli une grande œuvre pour Dieu ? Bernard, je connais des pasteurs renommés, engagés dans de grandes églises, qui ne peuvent pas dire la même chose. Je connais de grands théologiens qui n'ont probablement jamais conduit quelqu'un à Christ. Si quelques centaines de personnes sont devenues chrétiennes grâce à toi et qu'elles ont influencé qui sait combien d'autres personnes pour Christ, c'est certainement une grande œuvre pour Dieu.

(Bernard est maintenant auprès du Seigneur, après avoir achevé son important ministère en conduisant des centaines de personnes à Christ.)

Billy Graham est une des rares personnes que je considère comme un héros. Il a subi des attaques venant de toutes parts, mais il est toujours resté fidèle à son appel à prêcher l'Évangile. Un jour, il y a quelques années, je l'ai aperçu traversant le hall du Century Plaza Hotel à Los Angeles. Je ne l'avais jamais croisé et je ne voulais pas laisser passer l'occasion. Je l'ai rattrapé et lui ai dit :

– Je voulais vous rencontrer, Monsieur Graham, même si je ne suis qu'un pasteur insignifiant.

Il répondit chaleureusement à ma salutation, puis il me prit de court en disant :

– Un pasteur insignifiant, cela n'existe pas.

Il avait raison. Il n'y a pas de pasteurs insignifiants, ni d'enfants de Dieu insignifiants. Nous participons à la tâche importante qui consiste à récolter des trésors pour l'éternité. Ce que nous faisons et disons pour Christ durera toujours, même si cela pourrait paraître insignifiant aux yeux du monde. Ce sont ces choses qui donnent de la valeur à notre vie.

L'épanouissement – *Idée de base : un rôle unique*

Pour le chrétien, l'épanouissement réel dans la vie peut être résumé par une petite phrase que l'on voit parfois sur des autocollants : «Fleurissez là où vous êtes plantés». Pierre l'a dit de cette façon : «Chacun de vous a reçu de Dieu un don particulier : qu'il le mette au service des autres» (1 Pi. 4 : 10 – *Semeur*). Votre plus grand épanouissement dans la vie viendra quand vous découvrirez vos dons et vos capacités uniques et que vous les utiliserez pour édifier les autres et glorifier Dieu.

Dieu m'a permis de comprendre ce principe vital avant d'entrer dans le ministère, alors que j'étais encore ingénieur dans l'industrie aérospatiale. Je savais que Dieu voulait que je sois son ambassadeur dans mon entreprise, j'ai donc démarré une étude biblique dans un bowling voisin. Mon annonce concernant l'étude biblique n'avait été affichée dans notre bureau que depuis une heure quand un collègue juif l'arracha du mur et me la rapporta :

– Tu ne peux pas faire entrer Jésus ici, protesta-t-il.

– Je ne peux pas faire autrement, lui dis-je. Chaque jour quand je viens ici, Jésus entre avec moi.

Ma réponse ne l'impressionna pas du tout !

Un des hommes qui découvrit Christ grâce à cette étude biblique devint un évangéliste passionné. Il distribuait des tracts partout sur son passage. Quand je quittai l'entreprise pour entrer à la faculté de théologie, il reprit l'étude biblique.

Quelques mois plus tard, je rendis visite à mes amis de ce groupe.

– Est-ce que tu te souviens de notre collègue juif ? me demanda le responsable.

– Bien sûr, je me souviens de lui, répondis-je, me rappelant son opposition féroce à notre étude biblique.

– Il est tombé malade et il était tout près de la mort. J'ai été à l'hôpital tous les soirs pour le voir. Finalement, je l'ai conduit à Christ.

J'étais fou de joie en pensant que j'étais devenu un « grand-père spirituel ». Un sentiment d'épanouissement m'envahit. Et tout cela parce que j'avais commencé une étude biblique toute simple sur mon lieu de travail pour faire ce que Paul avait dit : « Fais le travail d'un évangéliste. Accomplis pleinement ton ministère » (2 Tim. 4 : 5 – *Semeur*).

Dieu nous réserve à chacun un ministère unique. Il est important pour notre sentiment d'épanouissement que nous découvrions exactement quelle est notre place. Comment ? Il nous faut d'abord découvrir les rôles que nous occupons et dans lesquels nous ne pouvons pas être remplacés. Puis, nous devons décider d'être ce que Dieu veut que nous soyons dans ces rôles. Par exemple, parmi les 5 milliards de personnes sur la terre, vous êtes le seul à occuper le rôle unique d'époux, de père, d'épouse, de mère, de parent ou d'enfant dans votre foyer. Dieu vous a spécialement planté dans ce cadre pour le servir en servant votre famille.

De plus, vous êtes le seul à connaître vos voisins comme vous les connaissez. Vous occupez un rôle unique comme ambassadeur de Christ sur votre lieu de travail. Voici vos champs de mission et vous êtes l'ouvrier que Dieu a choisi pour y moissonner. Votre plus grand épanouissement viendra lorsque vous accepterez et occuperez votre place unique au mieux de vos possibilités. Malheureusement, tant de personnes passent à côté de leur appel dans la vie en cherchant l'épanouissement dans le monde. Trouvez votre épanouissement dans le royaume de Dieu en décidant d'être un ambassadeur pour Christ dans le monde (2 Cor. 5 : 20).

La satisfaction – *Idée de base : la qualité*

La satisfaction vient lorsque nous vivons une vie droite et que nous recherchons une meilleure qualité dans les relations et les services dans lesquels nous sommes engagés. Notre objectif devrait être de reproduire la satisfaction personnelle de Paul à l'égard de ce que Dieu l'avait appelé à faire : « J'ai combattu le bon combat, j'ai achevé la course, j'ai gardé la foi » (2 Tim. 4 : 7).

Pourquoi devenons-nous insatisfaits de quelque chose ou de quelqu'un ? C'est généralement parce que la qualité de la relation ou du service a diminué. Je demande souvent aux gens s'ils peuvent me dire quand ils sont devenus insatisfaits. Inévitablement, ils situent cette insatisfaction au moment où la qualité d'une relation ou d'un service rendu a diminué.

La satisfaction dépend de la qualité et non de la quantité. Vous obtiendrez une plus grande satisfaction en faisant bien un petit nombre de choses, qu'en faisant de nombreuses choses superficiellement et à la hâte. La satisfaction personnelle ne vient pas en élargissant nos responsabilités, mais en les approfondissant par un engagement envers la qualité.

Ce principe s'applique aussi à nos relations. Si nous sommes insatisfaits dans nos relations, c'est peut-être parce que nous nous sommes trop éparpillés. Salomon a écrit : « Celui qui a beaucoup de compagnons les a pour son malheur, mais un véritable ami est plus attaché qu'un frère » (Prov. 18 : 24 – *Semeur*). C'est peut-être agréable d'avoir beaucoup d'amis en surface, mais nous avons besoin de quelques vraiment bons amis qui se sont engagés à avoir une relation de qualité les uns avec les autres.

C'est l'exemple que nous a donné le Seigneur. Il a enseigné les foules et il a formé 70 personnes pour le ministère, mais il a investi la plupart de son temps dans la vie des 12 disciples. De ces douze, il en a choisi trois : Pierre, Jacques et Jean, pour l'accompagner sur la montagne de la Transfiguration, sur le mont des Oliviers et dans le jardin de Gethsémané. Et, alors qu'il souffrait sur la croix, Jésus a confié à Jean, probablement son ami le plus proche, la responsabilité de prendre soin de sa mère. Voilà une relation de qualité et nous avons tous besoin de cette satisfaction que seules les relations de qualité peuvent nous apporter.

Le bonheur – *Idée de base : désirer ce que nous avons*

Pour le monde, le bonheur c'est obtenir ce que nous voulons. Les grands magasins nous disent que nous avons besoin d'une voiture plus flamboyante, d'un parfum plus sexy ou de toutes sortes de choses qui sont meilleures, plus rapides ou plus faciles que ce que nous avons déjà. Nous nous abreuvons de publicités à la télévision ou dans les journaux, et nous trépignons d'impatience d'obtenir le dernier objet à la mode, le meilleur gadget et tout le tralala. Nous ne sommes pas heureux tant que nous n'avons pas obtenu ce que nous voulions.

Pour Dieu, le bonheur se résume en un simple proverbe : « Heureux celui qui désire ce qu'il a ». Tant que nous nous fixons sur ce que nous n'avons pas, nous sommes malheureux. Mais quand nous commençons à apprécier ce que nous avons déjà, nous sommes heureux pour la vie. Paul a écrit à Timothée : « La véritable foi en Dieu est, en effet, une source de richesse quand on sait être content avec ce qu'on a. Nous n'avons rien apporté dans ce monde, et nous ne pouvons rien en emporter. Tant que nous avons nourriture et vêtement, nous nous en contentons » (1 Tim. 6 : 6-8 – *Semeur*).

En fait, nous avons déjà tout pour nous rendre heureux pour toujours. Nous avons Christ. Nous avons la vie éternelle. Nous avons un Père céleste qui nous aime et qui a promis de subvenir à tous nos besoins. Il n'est pas étonnant que la Bible nous ordonne constamment d'être reconnaissants (1 Thes. 5 : 18). Si nous voulons vraiment être heureux, apprenons à être reconnaissants pour ce que nous avons, et à ne pas être avides de ce que nous n'avons pas.

L'amusement – Idée de base : une spontanéité sans inhibition

Est-ce que vous êtes un chrétien qui s'amuse ? Certains pensent que pour s'amuser il faut passer une journée dans un parc d'attractions. Oui, on peut beaucoup s'y amuser, mais on rentre généralement à la maison complètement épuisé et le portefeuille vide.

L'amusement, c'est une spontanéité sans inhibition. Je parie que la dernière fois que vous vous êtes vraiment amusé, c'était au travers d'une activité ou d'un événement spontané, sous l'impulsion du moment. Les grands événements et les sorties coûteuses peuvent être amusants, mais parfois à force de planifier et de dépenser, tout le plaisir s'estompe. Je me suis souvent le mieux amusé lors de batailles de coussins impromptues avec mes enfants.

Pour acquérir cette spontanéité en tant que chrétiens nous devons avant tout perdre nos inhibitions. La plus grande inhibition pour le chrétien est cette tendance humaine à vouloir préserver les apparences. Nous ne voulons pas que notre comportement ait l'air déplacé ou nous ne voulons pas baisser dans l'estime des autres, nous étouffons donc notre spontanéité en la cachant sous une fausse politesse. Nous voulons avant tout plaire aux autres, et Paul insinue que tous ceux qui vivent pour plaire aux autres ne servent pas Christ (Gal. 1 : 10).

J'aime beaucoup la joie sans inhibition que je vois chez le roi David : il connaissait la joie d'être dans la présence du Seigneur. Il était si heureux de voir l'arche de l'alliance revenir à Jérusalem qu'il sauta et dansa devant le Seigneur pour le célébrer. Il savait qu'il y a de la joie dans la présence de Dieu. Mais Mikal, son épouse trouble-fête, pensait que son comportement ne convenait pas à un roi, et elle le lui dit sans prendre de gants. David répondit : « Tant pis pour toi, ma belle. Je danse devant l'Éternel, pas devant toi ni personne d'autre. Et je continuerai à danser que ça te plaise ou non » (ma paraphrase de 2 Sam. 6 : 21). En fin de compte, c'est Mikal que Dieu a jugée dans cette histoire, et non David (2 Sam. 6 : 23). Vous vous amuserez beaucoup plus en faisant plaisir à Dieu qu'en essayant de plaire aux autres.

La sécurité *– Idée de base : dépendre de ce qui est éternel*

Pour connaître la sécurité dans notre vie, nous devons dépendre de ce qui est éternel et non des choses temporelles. Les chrétiens sont souvent dans l'insécurité parce qu'ils dépendent des choses temporelles qu'ils ne peuvent pas maîtriser. Par exemple, certains s'appuient sur leur argent pour avoir la sécurité matérielle, plutôt que de dépendre de Dieu qui promet de subvenir à tous leurs besoins. Mais même les placements financiers les plus sûrs finissent par s'écrouler et par décevoir.

La sécurité vient d'une relation avec ce qui est ancré dans l'éternité. Jésus dit que nous avons la vie éternelle et que rien ne peut nous arracher de sa main (Jean 10 : 27-29). Paul déclare que rien ne peut nous séparer de l'amour de Dieu en Christ (Rom. 8 : 35-39) et que nous sommes scellés en lui par le Saint-Esprit (Éph. 1 : 13-14). Quelle autre sécurité nous faut-il encore ? Quand nous nous confions dans les valeurs et les relations temporelles, nous risquons toujours de connaître l'insécurité parce que ces choses peuvent toujours nous décevoir. Le plus grand sentiment de sécurité nous vient lorsque nous nous accrochons aux valeurs et aux relations qui dureront aussi longtemps que Dieu lui-même.

La paix *– Idée de base : résoudre le conflit intérieur*

« Paix sur terre et bienveillance envers tous les hommes » : c'est ce que tout le monde veut. Mais personne ne peut garantir la paix extérieure parce que personne ne peut maîtriser les circonstances ni les autres personnes. Les peuples signent et brisent les traités de paix avec une fréquence effrayante. Un groupe de manifestants pour la paix rencontre un autre groupe de manifestants pour la paix et ils finissent par se taper dessus avec leurs banderoles. Les couples se lamentent en disant qu'il pourrait y avoir la paix dans leur foyer « si seulement il/elle pouvait changer ».

La solution pour connaître la paix, c'est de comprendre qu'il s'agit essentiellement d'un problème interne. La paix *avec* Dieu, c'est quelque chose que nous avons déjà (Rom. 5 : 1). Ce n'est pas quelque chose que nous devons nous efforcer d'obtenir ; c'est quelque chose que nous avons reçu quand nous sommes nés de nouveau. La rébellion contre Dieu est finie et notre monde intérieur est éternellement en paix avec Dieu.

La paix *de* Dieu, voilà ce que nous devons nous approprier tous les jours dans notre vie intérieure au milieu des tempêtes qui font rage dans le monde extérieur (Jean 14 : 27). De nombreuses choses peuvent venir perturber notre monde extérieur parce que nous ne pouvons pas maîtriser toutes les circonstances et toutes les relations. Mais nous *pouvons* maîtriser notre vie intérieure par nos pensées, nos émotions, notre volonté et permettre ainsi à la paix de Dieu de gouverner notre cœur dans la vie quotidienne. Le chaos peut être tout autour de nous, mais Dieu est plus grand que toutes les tempêtes. Je garde une petite plaque sur mon bureau qui me rappelle : « Rien ne m'arrivera aujourd'hui qui ne peut être résolu par Dieu et par moi ». La méditation personnelle, la prière et l'interaction avec la Parole de Dieu donnent accès à la paix de Dieu (Col. 3 : 15-16 ; Phil. 4 : 6-7).

Quand je partage ces huit éléments essentiels de la pensée du chrétien, j'entends souvent des gens me dire :

– C'est très vrai tout cela, mais je pense malgré tout que…

Sur quoi pensez-vous qu'ils baseront leur vie : sur ce qu'ils reconnaissent être vrai ou sur ce qu'ils « pensent malgré tout » ? Ils se baseront toujours sur ce qu'ils croient au plus profond d'eux-mêmes, *toujours !* Ce que nous croyons détermine la façon dont nous marchons. C'est comme le golfeur qui dit :

– Je sais que je devrais modifier ma prise pour améliorer mon coup.

Mais tant qu'il n'essayera pas réellement de modifier sa prise, il ne croit pas vraiment ce qu'il dit. Les actions révéleront toujours ce que quelqu'un croit vraiment.

Alors que vous examinez votre marche par la foi en comparant ce que vous croyez avec ce que la Bible dit dans ces huit catégories, avez-vous découvert certains éléments qui indiquent que vos actes ont manqué la cible ? Êtes-vous prêt à changer ce que vous croyez pour remettre votre marche par la foi au centre du fairway ?

CHAPITRE 9

Gagner la bataille dans nos pensées

Il y a quelques années, Stéphanie, la femme d'un étudiant à la faculté, suivait en auditeur libre mon cours sur les conflits spirituels. À mi-chemin dans le cours, elle m'arrêta un jour dans le couloir et me dit simplement :

– Vous n'avez aucune idée de ce qui se passe dans ma vie.

Elle avait raison, je n'en avais aucune idée ! Je l'ai encouragée à continuer à venir au cours et à mettre en pratique les vérités qu'elle apprenait.

À la fin du cours, Stéphanie me remit la lettre suivante :

Cher Neil,

Je voudrais simplement te remercier pour la façon dont le Seigneur a utilisé ton cours pour changer ma vie. Pendant ces deux dernières années, j'ai constamment lutté pour maîtriser mes pensées. J'ignorais mon identité et mon autorité en Christ, j'ignorais aussi la force des mensonges de Satan. J'avais tout le temps peur. J'étais constamment tourmentée par des pensées hostiles et violentes. Je me sentais coupable et je me demandais ce qui n'allait pas. Je ne comprenais pas dans quel esclavage j'étais avant de suivre ton cours.

On m'avait toujours appris que les démons n'avaient aucune influence sur les chrétiens. Quand tu as commencé à décrire une personne influencée par les démons, je n'en revenais pas. C'était moi que tu décrivais ! Pour la première fois dans ma vie, je peux identifier les attaques de Satan et vraiment lui résister. Je ne suis plus paralysée par la peur et mes pensées sont beaucoup plus claires. Comme tu peux le voir, cela m'apporte beaucoup de joie !

Quand je lis la Bible maintenant, je me demande pourquoi je ne voyais pas tout cela avant. Mais comme tu le sais, j'étais trompée par Satan.

Merci encore,

Stéphanie

Stéphanie était chrétienne bien avant d'assister à mon cours. Mais sa marche par la foi avait été freinée par le plus grand ennemi de la foi : des pensées inondées par des idées noires. Elle était une enfant de Dieu, sans aucun doute, mais une enfant de Dieu vaincue, la victime involontaire du menteur. Elle ne comprenait pas son identité en Christ et elle périssait « faute de connaissance » (Osée 4 : 6 – *Semeur*).

Stéphanie représente un nombre inconnu de chrétiens qui sont spirituellement inconscients et vaincus dans leur vie quotidienne. Ils ne se rendent pas compte qu'une bataille est livrée dans leurs pensées. Quand ces chrétiens reconnaissent la nature du conflit et qu'ils se rendent compte qu'ils peuvent être transformés par le renouvellement de leurs pensées, ils découvrent la liberté dont parlait Stéphanie dans sa lettre.

La foi est le moyen par lequel Dieu veut que nous vivions, la raison est le moyen choisi par l'homme. De ce fait, la foi et la raison sont souvent en conflit. Ce n'est pas que la foi ne soit pas raisonnable, ni que nous puissions nous passer de réfléchir. Au contraire, Dieu nous demande de réfléchir et de choisir. Dieu est un Dieu rationnel et il agit à travers notre capacité de raisonner.

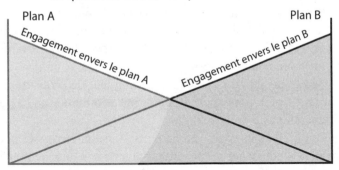

Figure 9-A

Le problème, c'est que celle-ci est limitée. Dieu a dit : « Autant les cieux sont élevés au-dessus de la terre, autant mes voies sont élevées au-dessus de vos voies, et mes pensées au-dessus de vos pensées » (Ésaïe 55 : 9). Nous sommes incapables de connaître les pensées de Dieu par nos raisonnements humains, nous dépendons donc de la révélation divine.

Ainsi, nous pouvons vivre comme *Dieu* le veut : en agissant par la foi, ce que j'appellerais le plan A. Ou alors *nous* pouvons vivre comme nous le voulons : en agissant selon notre capacité limitée de raisonnement, ce qui serait le plan B. Le plan B se base sur notre tendance à rationaliser : « Je ne vois pas ce que Dieu veut » ou « Je n'y crois pas », alors nous le faisons à notre manière. Salomon nous encourage à vivre comme Dieu le veut quand il écrit : « Ne t'appuie pas sur ton intelligence » (plan B), mais « reconnais-le dans toutes tes voies » (plan A) (Prov. 3 : 5-6).

La force du plan A dans notre vie est déterminée par notre conviction personnelle que ce que Dieu veut est toujours bon et par notre engagement à lui obéir. La force du plan B est déterminée par la quantité de temps et d'énergie que nous investissons à entretenir des pensées qui sont contraires à la Parole de Dieu. Vous savez que la voie de Dieu est la meilleure et vous avez l'intention de marcher 100 % par la foi. Mais dès que vous commencez à nourrir des pensées qui sont contraires à la Parole de Dieu, vous avez prévu le plan B comme sortie d'urgence en cas d'échec du plan A. Vous vous êtes engagés envers deux plans différents, comme l'illustre la figure 9-A.

Il est, par exemple, dans le plan de Dieu que le mariage soit monogame et qu'il dure toute la vie. Mais supposons qu'une femme chrétienne commence à penser :

– Je ne sais pas si ce mariage va marcher. Je ferais mieux de trouver un emploi, pour que je puisse me débrouiller au cas où ça ne marcherait pas.

Dès qu'elle s'engage, même partiellement, envers le plan B, elle ne peut s'empêcher de perdre un peu de son engagement total envers son mariage tel que le plan A le prévoit. Plus elle pense au plan B, plus elle a de chances d'y recourir.

Je n'ai pas de plan B pour mon mariage – aucun. Je me suis engagé envers Joanne pour la vie, un point c'est tout. Je ne veux même pas avoir une seule pensée contraire à mon engagement envers elle. De telles pensées sont dangereuses parce qu'elles rongent notre engagement à 100 % envers le plan de Dieu.

Plus nous investissons du temps et de l'énergie à contempler nos propres plans et à réfléchir comment vivre notre vie seuls, moins nous avons d'énergie et de temps pour rechercher le plan de Dieu. Nous commençons à basculer de l'un à l'autre, tantôt nous reconnaissons le plan de Dieu et tantôt nous nous appuyons sur notre intelligence. Jacques appelle ce genre de personne «un indécis, qui est inconstant dans toutes ses entreprises» (Jac. 1 : 8 – *Semeur*). Quand nous continuons à vaciller entre le plan A de Dieu et notre propre plan B, notre croissance spirituelle est freinée, notre maturité en Christ est bloquée et notre expérience quotidienne est marquée par la désillusion, le découragement et la défaite.

D'où viennent les pensées du plan B ? Il y a deux sources principales.

D'abord, notre chair produit encore des pensées et des idées tout humaines. Notre chair, c'est cette partie de nous qui était habituée à vivre indépendamment de Dieu avant que nous ne devenions chrétiens. À l'époque, nous n'avions pas de plan A dans notre vie ; nous étions séparés de Dieu, nous ignorions ses voies et nous étions déterminés à réussir et à survivre par nos propres capacités.

Quand nous sommes nés de nouveau, Dieu nous a donné une nouvelle nature et nous sommes devenus des êtres nouveaux, mais personne n'a poussé la touche «effacer» dans notre cerveau. Nous avons emporté avec nous dans notre nouvelle foi toutes les habitudes du plan B et tous les modèles de la chair. Ainsi, alors que notre nouvel être désire vivre dans la dépendance de Dieu et suivre le plan A, notre chair persiste à suggérer des plans B pour vivre indépendamment de Dieu.

Deuxièmement, Satan est actif dans le monde aujourd'hui, il s'est opposé au plan A de Dieu pour la création humaine depuis le jardin d'Éden. Avec l'aide de ses démons, il essaie activement de détourner notre attention de notre marche par la foi en distillant dans nos pensées ses pensées et ses idées. Il est infatigable dans les efforts qu'il déploie pour installer les modes de pensées négatives du monde dans notre intelligence, ce qui produira ensuite un comportement négatif calqué sur le monde.

Au cœur de la bataille dans nos pensées, se trouve le conflit entre le plan A (qui consiste à vivre par la foi selon ce que Dieu veut), et le plan B (qui est de vivre selon ce que l'homme veut, en suivant les pulsions du monde, de la chair et du diable). Vous pourriez penser que vous êtes une victime impuissante dans cette bataille, frappée d'un côté à l'autre comme un palet dans un match de hockey. En fait, vous êtes celui qui détermine qui sera le gagnant dans chaque escarmouche entre le plan A et le plan B.

Les forteresses sont les cibles principales de notre combat

La nature du combat est clairement présentée dans 2 Corinthiens 10 : 3-5 (*Bible du Semeur*) : « Sans doute, nous sommes des hommes et nous vivons comme tels, mais nous ne menons pas notre combat d'une manière purement humaine. Car les armes avec lesquelles nous combattons ne sont pas simplement humaines ; elles tiennent leur puissance de Dieu qui les rend capables de renverser des forteresses. Oui, nous renversons les faux raisonnements ainsi que tout ce qui se dresse prétentieusement contre la connaissance de Dieu, et nous faisons prisonnière toute pensée pour l'amener à obéir au Christ ».

La première chose que nous devons savoir concernant ce combat dans nos pensées, c'est qu'il n'est pas livré avec de l'ingéniosité ou des capacités humaines. On ne peut pas être plus intelligent ou plus musclé que la chair ou que le diable. Nos armes doivent « tenir leur puissance de Dieu » si nous voulons gagner un conflit spirituel.

Les cibles principales qui doivent être détruites sont les « forteresses » de l'intelligence ou les emprises exercées sur nos pensées. Ces emprises sont des modèles négatifs de pensées qui se sont ancrés dans notre intelligence par une longue répétition ou par une expérience douloureuse unique. Comment ces emprises destructrices envahissent-elles nos pensées ? Généralement elles résultent de tout un ensemble de petites étapes subtiles qui nous détournent du plan de Dieu pour nous et nous enfoncent dans les comportements du plan B.

Les stimulations de l'environnement

Nous avons été conçus pour vivre en communion avec Dieu et pour accomplir ses desseins, mais nous sommes nés physiquement vivants et spirituellement morts dans un monde hostile (Éph. 2 : 1-2). Avant de venir à Christ, toutes nos stimulations venaient de cet environnement. Chaque jour que nous vivions dans cet environnement, nous étions influencés par lui et conditionnés à nous y conformer.

Les stimulations du monde, auxquelles nous étions exposés, étaient à la fois ponctuelles et générales. Des stimulations ponctuelles se rapportent aux événements, aux situations, aux endroits et aux rencontres que nous avons vécues personnellement. Nous étions influencés par les livres que nous lisions, les films que nous regardions, la musique que nous écoutions et les événements douloureux que nous vivions ou que nous observions, tels qu'un accident de voiture ou un décès dans la famille. Nous avons découvert des moyens (qui étaient ou n'étaient pas ceux de Dieu) pour faire face à ces expériences et pour résoudre les conflits qu'ils produisaient.

Les stimulations générales résultent d'un contact prolongé avec notre environnement, telle que l'influence de notre famille, de nos amis, de nos proches, de notre voisinage, de nos professeurs, de notre travail. Si certains d'entre nous ont grandi séparés de Dieu, dans un environnement non chrétien, ils ont développé une philosophie de vie pour survivre, pour faire face aux événements et pour réussir dans ce monde sans Dieu.

À la racine de toute tentation se trouve l'invitation à vivre indépendamment de Dieu et à satisfaire des besoins légitimes par des moyens qui viennent du monde, de la chair ou du diable plutôt que de Christ.

Quand nous sommes devenus chrétiens, nos péchés ont été effacés, mais notre tendance à réfléchir et à agir d'une certaine manière, développée par adaptation constante à notre environnement, reste enracinée dans notre chair. En fait, nous pouvons devenir des chrétiens nés de nouveau tout en continuant à vivre selon le style de vie que nous avions développé alors que nous vivions indépendamment de Dieu. C'est pour cette raison que Paul insiste sur notre transformation par le renouvellement de l'intelligence (Rom. 12 : 2).

La tentation

Chaque fois que nous sommes poussés à nous conformer au plan B plutôt que de suivre le plan de Dieu, nous rencontrons une tentation. À la racine de toute tentation se trouve l'invitation à vivre indépendamment de Dieu et à satisfaire des besoins légitimes par des moyens qui viennent du monde, de la chair ou du diable plutôt que de Christ. C'est le grand combat. Et Satan sait sur quels boutons il doit appuyer pour nous inciter à ne plus dépendre de Christ. Il a observé notre comportement pendant des années et il connaît nos points faibles, c'est là qu'il attaquera. Nos tentations correspondront aux domaines où nous sommes vulnérables.

La prise en considération et le choix

Dès que nous sommes tentés de répondre à nos besoins par le monde plutôt que par Christ, nous nous trouvons au seuil d'une décision. Si nous ne choisissons pas immédiatement de rendre cette « pensée prisonnière pour l'amener à obéir au Christ » (2 Cor. 10 : 5 – *Semeur*), nous commencerons par la considérer comme une possibilité. Et si nous retournons cette idée dans notre tête, nos émotions seront immédiatement influencées et la probabilité de céder à cette tentation augmentera.

J'ai trouvé une bande dessinée humoristique qui illustre les conséquences dangereuses que peut entraîner la considération d'une pensée tentante plutôt que son rejet immédiat. L'héroïne a du mal à suivre son régime. Remarquez comment ses pensées non maîtrisées, qui sont illustrées par la légende de chaque dessin, l'emportent à toute allure :

- Dessin n° 1 : Je vais faire un tour, mais je ne vais pas aller près du magasin.
- Dessin n° 2 : Je vais aller près du magasin, mais je ne vais pas y entrer.
- Dessin n° 3 : Je vais entrer dans le magasin, mais je ne vais pas aller près du rayon des gâteaux.
- Dessin n° 4 : Je vais regarder les gâteaux, mais je ne vais pas les toucher.
- Dessin n° 5 : Je vais les toucher, mais pas les acheter.
- Dessin n° 6 : Je vais les acheter, mais pas les ouvrir.
- Dessin n° 7 : Les ouvrir, mais pas les renifler.
- Dessin n° 8 : Les renifler, mais pas les goûter.
- Dessin n° 9 : Les goûter, mais pas les manger.
- Dessin n° 10 : *Manger, manger, manger, manger, manger !*

La Bible nous enseigne que Dieu a fourni le moyen d'échapper à toute tentation (1 Cor. 10 : 13). Mais, comme dans l'illustration, la sortie de secours se trouve dans le premier dessin, tout au début. En fait, l'héroïne a perdu la bataille quand elle a décidé d'aller faire un tour. Si nous ne maîtrisons pas la tentation dès le premier dessin, nous risquons de permettre à la tentation de nous maîtriser. Rare est le chrétien qui peut se retourner après s'être dirigé vers le plan B.

Par exemple, un homme voit une photographie pornographique et il est tenté par des pensées malsaines. Il a l'occasion de réagir en pensant quelque chose comme ceci : « Ma relation avec le péché est finie. Je ne dois pas céder à ces choses. Je choisis maintenant de rendre cette pensée prisonnière pour l'amener à obéir au Christ. Je ne vais pas regarder et je ne vais pas y penser ». Et il se sépare immédiatement de la photo et échappe à la tentation.

Mais s'il hésite au seuil de la tentation, il regardera l'image et commencera à fantasmer, il provoquera un glissement émotionnel qui produira une réaction physique qui sera difficile à arrêter. Il doit capturer la pensée tentante dès le premier dessin ou c'est elle qui le capturera.

L'action, l'habitude et l'emprise

Dès que notre prise en considération d'une tentation a déclenché une réaction émotionnelle conduisant au choix du plan B, nous agirons en fonction de ce choix et nous adopterons le comportement correspondant. Nous pourrions regretter nos actions et affirmer que nous ne sommes pas responsables de ce que nous faisons. Mais nous *sommes* responsables de nos actions à ce niveau, parce que nous avons refusé de rendre cette idée captive quand elle est apparue au seuil de nos pensées.

Les gens qui étudient le comportement humain nous disent que si nous continuons à répéter un acte pendant six semaines, nous formons une habitude. Et si nous maintenons cette habitude pendant suffisamment longtemps, une véritable emprise s'installe sur nos pensées. Dès qu'une pensée ou une réaction est enracinée en nous, notre capacité de choisir ou d'agir contrairement à ce modèle est pratiquement nulle.

Comme les stimulations de l'environnement, une emprise sur la pensée peut être le résultat d'une expérience ponctuelle ou d'une atmosphère générale. Par exemple, une femme sombre dans une profonde dépression chaque fois qu'elle entend le bruit d'une sirène. Il se fait qu'elle a été violée 20 ans plus tôt pendant qu'une sirène d'alarme hurlait au loin. Pendant les semaines et les mois suivant le viol, le bruit d'une sirène déclenchait des souvenirs douloureux. Au lieu de résoudre ce conflit, elle revivait la tragédie dans ses pensées, approfondissait ses blessures émotionnelles et s'enfermait dans un système de pensées qu'elle ne pouvait pas briser. C'est une emprise.

D'autres emprises sont le résultat de pensées et de réactions à longue portée. Imaginez, par exemple, trois garçons de 18, 13 et 9 ans, dont le père devient un alcoolique. Quand le père rentre à la maison saoul et agressif tous les soirs, le fils aîné, qui est assez grand pour tenir tête dit à son père : « Si tu me cherches, tu vas le regretter ».

Le deuxième fils ne peut pas résister à son père physiquement et il devient le conciliateur classique, il essaie de l'apaiser. Il l'accueille en disant : « Salut papa. Comment vas-tu ? Je peux t'apporter quelque chose, papa ? Veux-tu que j'appelle quelqu'un ? »

Le dernier a tout simplement peur. Quand son père rentre à la maison, il court se cacher dans le placard ou sous le lit. Il fuit son père et il évite tout conflit.

Alors que les trois garçons continuent à adopter ces réactions défensives face au comportement hostile de leur père alcoolique, ils forment des habitudes de comportement. Dix ans plus tard, quand ces jeunes gens rencontreront n'importe quel comportement hostile, comment croyez-vous qu'ils réagiront ? L'aîné se battra, le second apaisera et le troisième fuira. C'est de cette manière qu'ils ont appris à faire face à l'hostilité. Leurs habitudes de pensée et de réaction fortement ancrées exercent une emprise sur eux.

L'hostilité est une emprise. Le plan A de Dieu développe l'être intérieur et donne la capacité d'aimer son ennemi, de prier pour lui et de tendre l'autre joue. Si nous ne pouvons pas nous empêcher d'être querelleurs et contestataires dans une situation menaçante, c'est parce que nous avons appris à réagir de cette façon et notre réaction, qui vient d'un plan B, a formé une emprise sur nous.

L'infériorité est une emprise. Le plan A dit que nous sommes enfants de Dieu, des saints qui ne sont inférieurs à personne. Si nous reculons toujours devant les gens parce que nous nous sentons inférieurs, c'est parce que le monde, la chair et le diable ont creusé un sillon négatif, un plan B, dans nos pensées au cours des années.

La manipulation est une emprise. Avons-nous l'impression de devoir maîtriser les gens et les circonstances de notre vie ? Nous est-il pratiquement impossible de remettre un problème entre les mains de Dieu et de ne pas nous en inquiéter ? Quelque part dans notre passé, nous avons développé des habitudes de manipulation qui nous manipulent maintenant. C'est une emprise.

L'homosexualité est une emprise. Aux yeux de Dieu, il n'existe pas d'homosexuels. Il nous a créés homme et femme. Mais il y a un comportement homosexuel dont on peut généralement retrouver l'origine dans des expériences négatives avec les parents ou avec la sexualité dans le passé. De telles expériences ont poussé certains à ne pas se sentir adéquats sexuellement et ils commencent à croire un mensonge au sujet de leur identité sexuelle.

L'anorexie et la boulimie sont des emprises. Une femme de 45 kg se regarde dans le miroir et croit qu'elle est grosse. Y a-t-il un plus grand mensonge que cela ? Elle est la victime d'habitudes négatives de pensées à son sujet qui ont été forgées en elle et qui dirigent toutes ses activités relatives à son corps et à son alimentation.

Toute réaction automatique qui dirige nos pensées et nos actes vers un plan B négatif est une emprise sur nos pensées. Toutes les pensées et les actions que nous ne pouvons pas maîtriser proviennent d'une emprise. Quelque part dans le passé, nous avons consciemment ou inconsciemment formé des habitudes de pensée ou de comportement qui nous maîtrisent maintenant. Ne pensez pas que le simple fait de revêtir les armes de Dieu à ce niveau pourra résoudre le dilemme. Ces emprises sont déjà fortement enracinées et renforcées.

Pour gagner le combat dans nos pensées, nous avons besoin d'une stratégie

Si les emprises ou les forteresses dans nos pensées sont le résultat d'un conditionnement, alors nous pouvons être reconditionnés par le renouvellement de notre intelligence. Tout ce qui a été appris peut être désappris. C'est certainement le plus grand moyen de renouvellement qu'offre le Nouveau Testament. Par la prédication de la Parole de Dieu, l'étude biblique et la formation personnelle, nous pouvons arrêter de nous conformer au monde et connaître la transformation qu'apporte le renouvellement de nos pensées (Rom. 12 : 2).

Si nos expériences passées étaient dévastatrices au niveau spirituel ou émotionnel, alors une relation d'aide ou un groupe d'aide spécialisé (comme les «Enfants adultes de parents alcooliques»), aideront à opérer la transformation. Puisque certaines de ces emprises se dressent contre la connaissance de Dieu (2 Cor. 10 : 5), le point de départ sera d'apprendre à connaître Dieu comme un Père plein d'amour et à se connaître soi-même comme son enfant pleinement accepté.

Mais tout ce qui se passe en nous n'est pas uniquement le produit d'un conditionnement négatif, il y a plus grave que cela. Nous ne luttons pas seulement contre le monde et la chair. Nous nous heurtons aussi au diable qui voudrait nous remplir de pensées qui sont opposées au plan de Dieu pour nous.

Notez comment Paul utilise le mot «pensées» [*noêma*] dans 2 Corinthiens par rapport à l'activité de Satan. Nous l'avons déjà vu dans 2 Corinthiens 10 : 5 : «Nous faisons prisonnière toute pensée pour l'amener à obéir au Christ». Pourquoi ces pensées doivent-elles être faites prisonnières ? Parce que ce sont les pensées de l'ennemi.

Dans 2 Corinthiens 3 : 14 et 4 : 3-4, Paul révèle que Satan est responsable de l'aveuglement et de l'endurcissement spirituel que nous connaissions avant de devenir chrétiens : «Mais ils se sont endurcis dans leurs pensées [*noêma*] [...] Notre Évangile [...] est voilé pour [...] les incrédules dont le dieu de ce siècle a aveuglé les pensées [*noêma*]». Dans 2 Corinthiens 11 : 3 et 2 : 10-11, Paul affirme que Satan tente activement de vaincre et de diviser les croyants : «Toutefois, de même que le serpent séduisit Ève par sa ruse, je crains que vos pensées ne se corrompent et ne s'écartent de la simplicité et de la pureté à l'égard de Christ [...] Car nous n'ignorons pas ses desseins [de Satan] [*noêma*]».

La stratégie de Satan consiste à introduire ses pensées et ses idées dans nos pensées et à nous tromper pour nous faire croire que ce sont les nôtres. C'est ce qui arriva au roi David. Satan «excita David à faire le recensement d'Israël» (1 Chr. 21 : 1), un acte que Dieu avait interdit, et David a agi en s'appuyant sur l'idée de Satan. Satan s'est-il un jour approché de David pour lui dire : «Je veux que tu comptes Israël» ? J'en doute. David vivait selon Dieu et il n'aurait pas obéi à Satan. Mais si Satan avait glissé l'idée dans la pensée de David à la première personne du singulier ? Et si l'idée était venue à David comme ceci : « J'ai besoin de savoir quelle est l'importance de mon armée ; je pense que je vais compter les troupes » ?

Si Satan peut placer une idée dans nos pensées – et il le peut –, il ne lui est pas difficile non plus de nous faire croire que cette idée est la nôtre. Si vous saviez qu'elle venait de Satan, vous la rejetteriez, n'est-ce pas ? Mais quand il déguise sa suggestion pour la faire passer pour notre idée, nous sommes plus enclins à l'accepter. C'est sa façon principale de nous tromper.

> *Si Satan peut placer une idée dans nos pensées*
> *– et il le peut –, il ne lui est pas difficile non plus*
> *de nous faire croire que cette idée est la nôtre.*

Je ne pense pas que Judas se rendait compte que l'idée de trahir Jésus venait de Satan (Jean 13 : 2). L'idée lui est probablement venue comme un moyen de pousser Jésus à délivrer Israël des Romains. Ananias et Saphira ont probablement pensé que c'était leur idée de garder une partie de leur offrande tout en récoltant les félicitations et l'approbation des autres qui n'en sauraient rien. S'ils avaient su que c'était l'idée de Satan, ils ne l'auraient probablement pas fait (Actes 5 : 1-3).

Un de nos étudiants de faculté m'a présenté Tina qui avait besoin d'une relation d'aide. Tina connaissait des difficultés émotionnelles énormes suite à un passé incroyable. Quand elle était enfant et adolescente elle avait dû assister à des violences sacrificielles et rituelles, elle avait été violée sexuellement à plusieurs reprises par son père, son frère et l'ami de son frère. Elle avait assisté au sacrifice de son petit chien, brûlé en offrande dans un culte à Satan.

Pour échapper à son passé, elle avait décidé d'étudier la psychologie. Elle avait terminé sa maîtrise et allait commencer un doctorat. Mais sa vie personnelle était en miettes.

J'ai parlé à Tina de Jésus-Christ, qui pouvait la libérer si elle lui ouvrait sa vie.

– Voudrais-tu prendre cette décision pour Christ ? lui ai-je finalement demandé.

Elle secoua la tête.

– Je le ferai plus tard.

Mais après avoir entendu l'histoire de Tina, je me doutais de ce qui se passait en elle.

– Tina, est-ce que tu entends des voix qui te disent « Si tu le fais, tu vas mourir » ?

– Oui, répondit Tina, et son visage pâlit de surprise et d'effarement.

– C'est un mensonge, Tina, et Satan est le père du mensonge.

Je lui ai encore parlé de Dieu et, dix minutes plus tard, elle ouvrit son cœur à Christ.

Si Satan peut réussir à vous faire croire un mensonge, il peut dominer votre vie. Si vous refusez de rendre une pensée prisonnière et de l'amener à obéir à Christ, croyez-moi, Satan vous dominera.

Dévoiler le mensonge et la bataille est gagnée

La puissance de Satan réside dans ses mensonges. Jésus a dit : « Le diable […] ne se tient pas dans la vérité, parce qu'il n'y a pas de vérité en lui. Lorsqu'il ment, il parle de son propre fond, puisqu'il est menteur, lui le père du mensonge » (Jean 8 : 44 – *Semeur*). Satan n'a aucun pouvoir sur nous si ce n'est le pouvoir que nous lui donnons quand nous ne rendons pas toute pensée prisonnière, et donc quand nous sommes trompés par ses mensonges.

Combien de chrétiens sont victimes de ces mensonges aujourd'hui ? Impossible à deviner. Dans mon ministère, je les rencontre dans presque chaque relation d'aide. De nombreux chrétiens auxquels je parle entendent clairement des voix dans leur tête, mais ils n'osent pas en parler de peur qu'on les prenne pour des psychopathes. La plupart des chrétiens que je rencontre sont tourmentés par des pensées contradictoires qui ont une influence néfaste sur leur culte personnel. Rares sont ceux qui se rendent compte que ces tourments reflètent la bataille qui a lieu dans leurs pensées, même si Paul nous a avertis : « Cependant, l'Esprit déclare clairement que, dans les derniers temps, plusieurs se détourneront de la foi parce qu'ils s'attacheront à des esprits trompeurs et à des enseignements inspirés par des démons » (1 Tim. 4 : 1 – *Semeur*).

Puisque l'arme principale de Satan, c'est le mensonge, notre défense contre lui, c'est la vérité. Le combat contre Satan n'est pas une lutte pour la puissance ; c'est une lutte pour la vérité. Quand nous dévoilons le mensonge de Satan avec la vérité de Dieu, sa puissance est brisée. Voilà pourquoi Jésus a dit : « Vous connaîtrez la vérité, et la vérité fera de vous des hommes libres » (Jean 8 : 32 – *Semeur*). Voilà pourquoi Jésus a prié : « Je ne te demande pas de les retirer du monde, mais de les préserver de l'esprit du mal [...] Consacre-les par la vérité. Ta Parole est la vérité » (Jean 17 : 15, 17 – *Semeur*). Voilà aussi pourquoi le premier élément de l'armure mentionnée par Paul, qui permet de tenir ferme contre les ruses du diable, c'est la ceinture de la vérité (Éph. 6 : 14). Les mensonges de Satan ne tiennent pas devant la vérité, pas plus que les ténèbres de la nuit ne résistent à la lumière du soleil levant.

Quel est notre rôle dans ce combat ? D'abord, nous devons être transformés par le renouvellement de nos pensées (Rom. 12 : 2). Comment pouvons-nous renouveler nos pensées ? En les remplissant de la Parole de Dieu. Pour pouvoir gagner la bataille pour nos pensées, il faut « que la paix du Christ [...] règne dans vos cœurs » (Col. 3 : 15) et « que la parole du Christ habite en vous avec sa richesse » (Col. 3 : 16). En continuant à stocker la vérité de Dieu dans nos pensées, nous serons équipés pour reconnaître les mensonges et pour les rendre prisonniers.

Deuxièmement, Pierre nous encourage à préparer nos pensées pour l'action (1 Pi. 1 : 13). Rejetons les rêves inutiles. Quand nous nous imaginons que nous faisons des choses sans jamais rien faire, c'est dangereux. Nous finissons par perdre le contact avec la réalité. Mais si nous nous imaginons en train d'obéir à la vérité, nous pouvons nous motiver à vivre une vie productive – tant que nous faisons le pas de *faire* ce que nous imaginons.

Troisièmement, faisons toute pensée prisonnière pour l'amener à obéir à Christ (2 Cor. 10 : 5). Réfléchissons tout de suite, dès que la pensée est au seuil de notre esprit. Évaluons-la en fonction de la vérité et ne laissons aucune place au mensonge.

Quatrièmement, tournons-nous vers Dieu. Quand notre engagement à accomplir le plan A est contesté par des pensées dirigées vers le plan B, qui viennent du monde, de la chair ou du diable, apportons ces pensées à Dieu dans la prière (Phil. 4 : 6). En priant, nous reconnaissons l'autorité de Dieu et nous passons nos pensées au crible de sa vérité. Notre double jeu disparaîtra et « la paix de Dieu, qui surpasse tout ce qu'on peut concevoir, gardera votre cœur et votre pensée [*noêma*] sous la protection de Jésus-Christ » (v. 7 – *Semeur*).

Voici un exemple magnifique de ce qui peut arriver à un chrétien quand les forteresses de la pensée sont renversées par la vérité de Dieu.

Julie est une femme magnifique et très talentueuse, elle a entre vingt et trente ans. C'est une chrétienne engagée depuis 13 ans qui chante dans un groupe professionnel, écrit de la musique, dirige les moments de louange dans son église et anime une étude biblique.

Julie a récemment participé à une de mes conférences. En la voyant me sourire de son siège, j'étais loin de me douter qu'elle était boulimique et esclave de la nourriture et de la peur depuis 11 ans. Seule chez elle, elle restait parfois captivée pendant des heures par les mensonges de Satan concernant la nourriture, son apparence et sa valeur. Elle était si craintive que, lorsque son mari était parti la nuit, elle dormait sur le canapé avec toutes les lumières de la maison allumées. Pendant toutes ces années, elle a cru que les pensées qui la poussaient à vomir étaient les siennes et qu'elles étaient la conséquence d'une expérience douloureuse de son enfance.

Pendant la conférence, alors que je parlais de la nécessité de détruire les emprises, il se fait que je regardais dans la direction de Julie – tout à fait par hasard – quand j'ai dit :

– Tous ceux que je connais qui ont des troubles alimentaires sont victimes d'une emprise basée sur un mensonge de Satan.

– Vous ne pouvez pas vous imaginer à quel point cette phrase m'a frappée, me dit-elle le lendemain matin. Je lutte contre moi-même depuis toutes ces années, et j'ai tout à coup compris que l'ennemi ce n'était pas moi, mais Satan. C'était la vérité la plus profonde que j'aie jamais entendue. C'est comme si j'avais été aveugle pendant 11 ans et que tout à coup je pouvais voir. J'ai pleuré tout le long du chemin de retour. Quand les vieilles pensées me sont revenues hier soir, je les ai simplement rejetées par la vérité. Pour la première fois depuis des années, j'ai pu m'endormir sans vomir.

Deux semaines plus tard, Julie m'a écrit cette lettre :

Cher M. Anderson,

Je ne peux pas vous dire toutes les choses merveilleuses que le Seigneur a faites pour moi grâce à ce que j'ai compris lors de votre conférence. Ma relation avec le Seigneur est si différente ! Maintenant que je suis consciente de l'ennemi et de ma victoire sur lui en Christ, je suis *réellement* reconnaissante envers notre Seigneur puissant et plein de bonté. Je ne peux plus écouter de chants à son sujet sans pleurer. J'ai du mal à diriger les chants qui parlent de Christ sans pleurer de joie. La vérité m'a libérée dans ma marche avec Christ.

Les passages de la Bible me sautent aux yeux, alors qu'avant tout était si confus ! Je peux dormir la nuit sans avoir peur, même quand mon mari est absent. Je peux rester à la maison toute la journée avec une cuisine pleine de nourriture, et être en paix. Quand une tentation ou un mensonge fait surface, je l'écarte rapidement avec la vérité.

Pour la première fois j'ai l'impression que ma relation avec le Seigneur est vraiment la mienne. Ce n'est plus simplement les mots de mon pasteur ou la reproduction de la marche chrétienne de quelqu'un d'autre… c'est la mienne ! Je commence à comprendre à quel point le Saint-Esprit est vraiment puissant, et à quel point je n'arrive à rien sans la prière. Je n'en ai jamais assez.

Merci d'avoir apporté un message où la puissance et la vérité du Seigneur sont si présentes.

Sincèrement en Christ,

Julie

Si vous croyez que l'expérience de Julie, qui a découvert la liberté en Christ, est une exception, vous vous trompez. La victoire dans ce combat dans vos pensées est l'héritage incontestable de tous ceux qui sont en Christ.

CHAPITRE 10

Être honnête
pour être en règle

J'ai rencontré Danny quand j'étais fraîchement émoulu de la
faculté et responsable d'un groupe universitaire. Elle avait 26 ans,
était diplômée de l'université et agrégée, mais elle ressemblait à une
hippie des années soixante. Elle portait des jeans troués, marchait
pieds nus, et tenait une Bible bien usée.

Danny papillonnait d'une église à l'autre et participait à une
étude biblique dans la nôtre. Elle avait souvent fait appel à la responsable de cette étude pour résoudre ses nombreux problèmes. Mais
quand cette responsable apprit qu'elle avait été internée trois fois au
cours des cinq dernières années pour une schizophrénie paranoïaque,
elle se sentit tout à fait incapable de l'aider. Elle me demanda donc de
voir Danny. Bien que je n'ayant aucune formation dans ce domaine
de la relation d'aide, j'acceptai de lui parler.

Quand Danny me raconta son histoire, elle eut du mal à se
rappeler les détails des dernières années. J'ai essayé de lui faire
passer quelques tests psychologiques simples, mais elle n'y arrivait
pas. Vers la fin du rendez-vous, je n'avais aucune idée de ce que je
pourrais faire pour l'aider.

J'ai dit :

– Je voudrais te revoir mais, entre-temps, je voudrais que tu te
soumettes à l'autorité de cette église.

Les mots étaient à peine sortis de ma bouche que Danny sauta de son siège et se rua vers la porte :

– Il faut que je parte, grogna-t-elle.

Instinctivement, je lui ai dit :

– Danny, Jésus est-il ton Seigneur ?

Elle se retourna brusquement devant la porte et pesta :

– Demande à Jésus qui est mon Seigneur.

Et elle sortit en claquant la porte.

Je l'ai suivie tout le long du couloir en continuant à lui demander si Jésus était son Seigneur. Chaque fois elle me disait de demander à Jésus qui était son Seigneur. Finalement, je l'ai rattrapée et lui ai encore demandé :

– Danny, Jésus est-il ton Seigneur ?

Cette fois, elle me fit face et son visage avait complètement changé :

– Oui, soupira-t-elle.

– Pouvons-nous retourner dans mon bureau pour en parler ? lui ai-je demandé, pas vraiment sûr de ce qu'elle allait dire.

– Bien sûr, se résigna-t-elle.

De retour dans mon bureau, je lui ai dit :

– Danny, sais-tu qu'il y a un combat dans tes pensées ?

Elle acquiesça.

– Ne t'en a-t-on jamais parlé ?

– Personne ne m'en a jamais parlé. Tous ceux à qui j'ai parlé, soit ne savaient pas ce qui se passait en moi, soit en avaient peur, confessa-t-elle.

– Nous allons en parler et nous allons en faire quelque chose, ai-je insisté. Es-tu prête à le faire avec moi ?

Danny était d'accord.

Nous nous sommes rencontrés une fois par semaine. Je supposais que ses problèmes étaient soit le résultat d'un échec moral dans sa vie, soit la conséquence d'un contact avec l'occultisme. Je lui ai posé des questions sur sa vie morale et je n'ai trouvé aucun problème. Je lui ai demandé si elle avait touché à l'occultisme. Elle n'avait jamais même lu un livre sur le sujet. Je commençais à me gratter la tête parce que je n'arrivais pas à découvrir la source de son conflit spirituel grave et évident.

Et puis un jour nous avons parlé de sa famille. Elle m'a décrit comment son père, un pédiatre bien connu dans la région, avait divorcé de sa mère et était parti avec une infirmière. La mère de Danny et d'autres membres de la famille avaient ouvertement exprimé leur colère et leur haine. Mais Danny, la seule chrétienne de la famille, pensait qu'elle devait être un bon témoignage. Elle voulait absolument être une fille aimante et conciliante. Elle s'est donc tue alors que ses sentiments la déchiraient intérieurement.

– Parlons de ton père, ai-je suggéré.

– Je ne veux pas parler de mon père, rétorqua-t-elle durement. Si tu parles de mon père, je pars.

– Attends un peu, Danny. Si tu ne peux pas parler de ton père ici, où peux-tu parler de lui ? Si tu ne résous pas ces problèmes ici, où vas-tu les résoudre ?

J'ai découvert deux passages de la Bible qui jettent un éclairage intéressant sur la vie de Danny et tous ses problèmes. Le premier se trouve en Éphésiens 4:26-27 (*Semeur*) : « Mettez-vous en colère, mais ne commettez pas de péché ; que votre colère s'apaise avant le coucher du soleil. Ne donnez aucune prise au diable ». La colère irrésolue de Danny envers son père n'avait jamais été confessée, et puisqu'elle avait réprimé sa colère au lieu de la résoudre, elle avait donné une occasion au diable, elle lui avait donné une « prise », littéralement une place dans sa vie.

Le second passage se trouve dans 1 Pierre 5:7-8 (*Semeur*) : « Déchargez-vous sur lui de tous vos soucis, car il prend soin de vous. Ne vous laissez pas distraire, soyez vigilants. Votre adversaire, le diable, rôde autour de vous comme un lion rugissant, qui cherche quelqu'un à dévorer ». Au lieu de se décharger de toute son anxiété au sujet de son père sur Dieu, Danny avait essayé d'être spirituelle en la camouflant. En refusant de remettre ses luttes intérieures à Dieu, Danny est devenue la proie facile du diable.

Danny a commencé à faire face aux sentiments qu'elle éprouvait à l'égard de son père et à réfléchir à l'idée de pardon, qui était au cœur du problème. En quelques mois, cette jeune femme, à qui les psychiatres ne donnaient plus d'espoir, a fait des progrès importants à la suite desquels elle s'est engagée dans le travail parmi les enfants dans notre église.

Nos émotions révèlent nos pensées

Nos émotions jouent un rôle important dans le renouvellement de notre intelligence. D'une manière générale, nos émotions sont le produit de notre réflexion. Si nos pensées sont incorrectes, si notre intelligence n'est pas en cours de renouvellement, si nous avons une mauvaise conception de Dieu et de sa Parole, nos émotions le refléteront. Et si nous refusons de reconnaître nos émotions, nous devenons une cible facile pour Satan, tout comme l'était Danny.

Une des meilleures illustrations de la relation entre les pensées et les émotions se trouve dans le 3e chapitre des Lamentations. Remarquez comment Jérémie exprime son désespoir quand il pense – à tort – que Dieu est contre lui et que Dieu est la cause de ses problèmes physiques : « Moi, je suis l'homme qui a vu la souffrance sous les coups du bâton de sa colère. Il m'a mené et il m'a fait marcher dans des ténèbres sans aucune lumière. C'est contre moi qu'à longueur de journée il tourne et retourne sa main. Il a usé ma chair, ma peau, il a brisé mes os. Il a dressé contre moi des remparts d'amertume et de peine. Il m'a fait habiter dans des lieux ténébreux comme ceux qui sont morts depuis longtemps » (versets 1-6 – *Semeur*).

Écoutez comme il se sent piégé et comme il a peur : « Il m'a enclos d'un mur afin que je ne sorte pas, il m'a chargé de lourdes chaînes. J'ai beau crier et implorer : il n'écoute pas ma prière. Il a barré tous mes chemins avec d'énormes pierres, il rend ma route impraticable. Il m'a épié comme un ours aux aguets, ou un lion en embuscade. Il m'a fait sortir du chemin et il m'a mis en pièces, et il m'a transformé en une terre dévastée […] Alors j'ai dit : C'en est fini de tout mon avenir : je n'espère plus rien de l'Éternel » (versets 7-11, 18).

Si votre espoir était en Dieu et que ces versets étaient une description correcte de Dieu, ce serait triste. Quel était le problème de Jérémie ? L'idée qu'il se faisait de Dieu était tout à fait fausse. Dieu n'était pas la cause de son affliction. Dieu ne l'a pas fait marcher dans les ténèbres. Dieu n'est pas une bête sauvage qui veut avaler les gens. Mais Jérémie ne réfléchissait pas clairement et comme sa perception et son interprétation des circonstances n'étaient pas bonnes, il ne se sentait pas bien et il ne réagissait pas correctement non plus.

Mais ensuite, contre toute attente, Jérémie chante une autre chanson : «Oh ! Souviens-toi de ma misère, de ma souffrance, du poison, de l'absinthe dont je suis abreuvé ! Sans cesse, je m'en souviens et j'en suis abattu. Mais voici la pensée que je me rappelle à moi-même, la raison pour laquelle j'aurai de l'espérance : car les bontés de l'Éternel ne sont pas à leur terme et ses tendresses ne sont pas épuisées. Chaque matin, elles se renouvellent. Oui, ta fidélité est grande ! J'ai dit : L'Éternel est mon bien, c'est pourquoi je compte sur lui» (versets 19-24).

Quel revirement ! Dieu a-t-il changé ? Les circonstances dans la vie de Jérémie ont-elles changé ? Non, mais l'idée qu'il avait de Dieu a changé et ses émotions ont suivi.

Nous sommes moins influencés par notre environnement que par l'idée que nous nous faisons de notre environnement. Les circonstances de la vie ne déterminent pas qui nous sommes ; Dieu détermine qui nous sommes, et notre interprétation des événements de la vie détermine comment nous supporterons les pressions de la vie. Nous sommes tentés de dire : «C'est fou ce qu'il m'énerve !» ou «Je n'étais pas déprimé avant qu'il arrive !» C'est comme si nous disions : «Je suis incapable de maîtriser mes émotions ou ma volonté». En réalité, nous maîtrisons très peu nos émotions, mais nous pouvons maîtriser nos pensées, et celles-ci déterminent nos sentiments et nos réactions. C'est justement pour cela qu'il est tellement important de remplir nos pensées de la connaissance de Dieu et de sa Parole. Nous avons besoin de regarder la vie du point de vue de Dieu et de réagir en nous y conformant.

Si ce que nous croyons ne reflète pas la vérité, alors ce que nous allons ressentir ne reflétera pas la réalité. Le fait de dire à quelqu'un qu'il ne devrait pas se sentir comme il le fait est une forme subtile de rejet. Il ne peut pas changer ses sentiments. Le vrai problème, c'est qu'il a une mauvaise idée de la situation qui lui donne ces sentiments.

Par exemple, supposons que vous rêviez de construire une maison et que tout dépende d'un organisme financier qui examine votre demande de crédit. Tous vos amis prient pour que le prêt vous soit accordé. Mais en rentrant à la maison un soir, vous trouvez un message sur le répondeur disant que votre prêt est refusé. Quels sont vos sentiments après quelques secondes à peine ? C'est l'horreur !

Mais supposons que vous vous apprêtez à dire à votre épouse que la maison de vos rêves restera toujours un rêve. Vous écoutez ensuite le message suivant sur le répondeur qui vous dit que le premier message était une erreur. En fait, votre dossier est accepté ! Quelles sont maintenant vos émotions ? La joie totale ! Ce que vous croyiez d'abord ne reflétait pas la vérité et ce que vous ressentiez ne reflétait pas non plus la réalité.

Imaginez que l'agent immobilier qui sait que vous avez reçu le prêt, vienne vous féliciter avant que vous n'ayez reçu le second message sur le répondeur. Il s'attend à vous trouver en pleine joie, mais vous êtes dans la déprime.

– Pourquoi êtes-vous déprimé ? Vous devriez être content.

Mais cet encouragement n'a aucun sens tant qu'il ne vous dit pas la vérité au sujet de votre prêt.

Les Écritures nous présentent cet ordre : connaître la vérité, y croire, agir en fonction d'elle et laisser nos émotions être le produit de notre obéissance. C'est ce que Dieu essayait de dire à Caïn dans Genèse 4 : 5-7. Si nous croyons nos sentiments au lieu de croire la vérité, comment seront nos actions ? Aussi contradictoires que nos sentiments. Mais si nous croyons la vérité et agissons en fonction d'elle, nos sentiments refléteront la réalité. Jésus a dit : «Si vous savez ces choses vous êtes heureux à condition de les mettre en pratique» (Jean 13 : 17 – *Semeur*). D'abord savoir, puis mettre en pratique.

Mais nos sentiments sont plus que des feux de position. Ils jouent un rôle vital dans notre expérience quotidienne.

N'ignorons pas les avertissements de nos émotions

J'ai fait du sport dans ma jeunesse et j'ai quelques cicatrices aux genoux pour le prouver. Lors de ma première opération au genou, l'incision a sectionné un nerf et je ne ressentais rien dans toute cette partie de la jambe pendant plusieurs mois. Parfois, je m'asseyais devant la télévision et, sans réfléchir, je posais une tasse de café chaud sur mon genou insensible. Je n'avais aucune sensation, sinon qu'après quelques minutes, je sentais autre chose : l'odeur de ma peau qui brûlait ! Pendant quelques temps, j'ai gardé un beau petit cercle brun sur mon genou en souvenir de cette expérience.

Nos émotions sont à notre âme ce que nos sensations physiques sont à notre corps. Aucune personne normale n'aime la douleur. Mais si nous ne ressentions pas la douleur nous risquerions de graves blessures, voire des infections. Et si nous ne ressentions pas de colère, de tristesse, de joie, etc., notre âme serait en danger. Les émotions sont le moyen fourni par Dieu pour nous permettre de savoir ce qui se passe dans la profondeur de notre être. Les émotions ne sont ni bonnes ni mauvaises ; elles sont normales, elles font partie de notre nature humaine. Tout comme nous réagissons aux avertissements de la douleur physique, nous devons aussi apprendre à répondre aux indicateurs émotionnels.

Quelqu'un a comparé les émotions à la lumière rouge clignotante sur le tableau de bord d'une voiture qui signale un problème de moteur. Il y a plusieurs façons de réagir à l'avertissement de cette lumière rouge. Nous pouvons la recouvrir d'un adhésif.

– Maintenant que je ne vois plus la lumière, pourrions-nous dire, je ne pense plus à ce problème.

Nous pouvons aussi écraser la lumière avec un marteau.

– Ça t'apprendra à me clignoter en pleine figure !

Ou nous pouvons réagir comme l'a prévu le constructeur : en regardant sous le capot et en réparant le problème.

Nous réagissons par rapport à nos émotions avec les trois mêmes options. Nous pouvons les recouvrir, les ignorer, les étouffer. C'est ce qui s'appelle la *répression*. Nous pouvons réagir en explosant sans réfléchir, en mordant le nez de quelqu'un, en sortant de nos gonds. C'est ce que j'appelle *l'expression aveugle*. Ou nous pouvons regarder à l'intérieur pour voir ce qui s'y passe. C'est *l'acceptation*.

L'adhésif de la répression

Un des membres de notre église avait un fils qui partit à l'université pour devenir architecte. Au cours de sa 3ᵉ année, Denis eut une sorte de crise. Ses parents le ramenèrent à la maison mais Denis n'allait pas bien. Les parents, ne sachant pas trop quoi faire, l'ont interné dans un hôpital psychiatrique – contre sa volonté – pour trois semaines d'observation. Denis n'a jamais pardonné à ses parents de l'avoir mis à l'hôpital.

Quand je l'ai rencontré quatre ans plus tard, Denis était un jeune homme plein de colère et d'amertume. Il avait un emploi à mi-temps de dessinateur mais, en fait, ses parents le soutenaient financièrement. Il entendait des voix dans sa tête. Il passait la plupart de son temps dehors à parler aux arbres. Personne ne semblait pouvoir l'aider. Ses parents m'ont demandé de lui parler, ce que j'ai fait.

J'ai passé trois mois avec Denis, à essayer de l'aider à s'accepter lui-même et à accepter ses émotions. Je lui ai demandé :

– Que ressens-tu pour tes parents ?

– J'aime mes parents, m'a-t-il répondu.

Mais Denis haïssait ses parents et ils le sentaient bien.

– Pourquoi est-ce que tu aimes tes parents ? ai-je insisté.

– Parce que la Bible dit qu'il faut aimer ses parents.

Chaque fois que j'ai suggéré la possibilité qu'il haïsse ses parents, Denis la niait. Finalement je lui ai demandé :

– Serais-tu d'accord avec moi pour dire qu'un chrétien pourrait ressentir de la haine ?

– Eh bien, peut-être, a-t-il admis. Mais pas moi.

Apparemment, mes questions étaient trop menaçantes pour Denis, parce qu'il ne m'a plus jamais parlé.

La répression, c'est le rejet conscient de nos sentiments (le refoulement est un rejet *in*conscient). Ceux qui répriment leurs émotions ignorent leurs sentiments et choisissent de ne pas en tenir compte. Comme le montrent les expériences de Danny et de Denis, la répression n'est pas une réaction saine à l'égard de nos émotions.

Le roi David a parlé des conséquences négatives de la répression de ses sentiments dans sa relation avec Dieu : « Tant que je me suis tu, mes os se consumaient, je gémissais toute la journée […] Qu'ainsi tout fidèle te prie au temps convenable ! Si de grandes eaux débordent, elles ne l'atteindront nullement » (Ps. 32 : 3, 6). David ne veut pas dire que Dieu se retire. Quand des circonstances extérieures nous cachent Dieu, nous pouvons rapidement être submergés par nos émotions. Quand des émotions réprimées s'accumulent en nous comme « de grandes eaux », nous ne nous tournons plus vers Dieu. Nos émotions nous dominent. Il est important de nous ouvrir à Dieu tant que nous le pouvons, parce que si nous réprimons nos sentiments pendant trop longtemps, l'harmonie de notre relation avec lui risque de s'en trouver perturbée.

David a aussi parlé de l'impact de la répression sur ses relations avec les autres : « Je disais : Je garderai mes voies de peur de pécher par ma langue ; je garderai un frein à ma bouche, tant que le méchant sera devant moi. Je suis resté muet, dans le silence ; je me suis tu, éloigné du bonheur, et ma douleur était extrême » (Ps. 39 : 2-3).

N'étouffez pas vos émotions. La répression n'est bonne ni pour vous-même ni pour les autres ni pour votre relation avec Dieu.

Le marteau de l'expression aveugle

Une autre façon malsaine de réagir à l'égard de nos émotions, c'est de tout déballer sans réfléchir, de dire à tout le monde et à n'importe qui tout ce que nous ressentons. L'apôtre Pierre est un bon exemple dans ce domaine. Pierre était le Belmondo du Nouveau Testament, un enfonceur de portes ouvertes. Il ne se privait pas de dire à n'importe qui ce qu'il pensait ou ressentait.

Mais l'habitude d'exprimer aveuglément toutes ses émotions a mis Pierre dans plus d'une situation délicate. Il fait la plus grande confession de tous les temps : « Tu es le Christ, le Fils de Dieu vivant » (Matt. 16 : 16). Mais à peine quelques minutes plus tard, Pierre dit que Jésus ne sait pas ce qu'il fait, et Jésus doit le reprendre : « Arrière de moi, Satan ! » (versets 22, 23).

C'est Pierre qui est à côté de la plaque sur la montagne de la transfiguration lorsqu'il suggère de construire trois tentes en l'honneur de Moïse, d'Élie et du Maître. C'est Pierre, l'impulsif, qui tranche l'oreille du serviteur de Caïphe lors de l'arrestation de Jésus à Gethsémané. C'est Pierre qui promet de suivre Jésus n'importe où, même jusqu'à la mort et qui jure, quelques heures plus tard, ne l'avoir jamais vu. Le fait que Pierre soit devenu plus tard un conducteur dans l'Église du Nouveau Testament vient magnifiquement prouver la puissance transformatrice du Saint-Esprit.

L'expression aveugle des émotions peut parfois être saine pour nous-même, mais elle est généralement malsaine pour ceux qui nous entourent.

– Je suis content d'avoir dit ce que je pensais, pourriez-vous dire après avoir explosé.

Mais en même temps, vous venez de détruire votre femme, votre mari, ou vos enfants. Pourtant Jacques nous avertit : « Mais que chacun de vous soit toujours prêt à écouter, qu'il ne se hâte pas de parler, ni de se mettre en colère. Car ce n'est pas par la colère qu'un homme accomplit ce qui est juste aux yeux de Dieu » (chap. 1 : 19-20 – *Semeur*). Et Paul nous exhorte : « Mettez-vous en colère, mais ne commettez pas de péché » (Éph. 4 : 26 – *Semeur*). Si vous voulez vous mettre en colère et ne pas pécher, faites comme Jésus : mettez-vous en colère contre le péché. Renversez les tables, ne renversez pas les changeurs d'argent.

L'ouverture par l'acceptation

Nancy, une jeune étudiante, est venue me voir pour me parler de la relation difficile qu'elle vivait avec sa mère. Mais en fin de compte nous avons parlé davantage de son incapacité à exprimer la colère et la rancune qu'elle ressentait dans cette relation.

– J'ai une amie qui, de temps en temps, doit exploser pour décompresser. Je ressens aussi les choses profondément, mais je ne suis pas sûre qu'une chrétienne ait le droit d'agir ainsi.

J'ai ouvert ma Bible au psaume 109 et je lui ai lu les versets suivants :

Dieu de ma louange, ne te tais point ! Car ils ouvrent contre moi une bouche méchante, une bouche rusée, ils me parlent avec une langue mensongère, ils m'environnent de paroles haineuses et me font la guerre sans cause. Tandis que je les aime, ils m'accusent ; mais moi (je recours à la) prière. Ils me rendent le mal pour le bien et de la haine pour mon amour. Place-le sous l'autorité d'un méchant, et qu'un accusateur se tienne à sa droite ! Quand il sera jugé, qu'il soit condamné, et que sa prière passe pour un péché ! Que ses jours soient peu nombreux, qu'un autre prenne sa charge ! Que ses fils deviennent orphelins et sa femme veuve ! Que ses fils soient vagabonds et qu'ils mendient, qu'ils aillent quémander loin des ruines de leur demeure ! Que le créancier jette le filet sur tout ce qui est à lui, et que les étrangers pillent ce pour quoi il s'est fatigué ! Que nul ne conserve pour lui de la bienveillance et que nul ne fasse grâce à ses orphelins ! Que ses descendants soient retranchés, et que leur nom soit effacé dans la génération suivante ! (versets 1-13).

– Qu'est-ce que ça fait dans la Bible ? s'exclama Nancy. Comment David pouvait-il souhaiter toutes ces choses horribles à ses ennemis ? Comment pouvait-il parler à Dieu de cette manière ? C'est de la haine à l'état pur.

– Dieu n'était certainement pas étonné d'entendre les paroles de David, ai-je répondu. Dieu savait déjà ce qu'il pensait et ce qu'il ressentait. David voulait simplement être honnête devant Dieu et exprimer sa colère et sa peine à un Dieu qui comprend ce qu'il ressent et qui l'accepte tel qu'il est.

Après quelques minutes de réflexion, Nancy demanda :

– Est-ce que ça veut dire que j'ai raison de faire ce que je fais ?

– Qu'est-ce que tu fais ?

– Eh bien, dit-elle un peu gênée, quand la tension monte en moi, je prends ma voiture et je roule. Je crie, je hurle, je tape. Quand j'arrive chez moi, je me sens mieux.

J'ai encouragé Nancy en lui disant que si elle pouvait déverser sa peine et sa haine devant Dieu, elle aurait moins tendance à les déverser d'une manière destructrice sur ses amis ou sur sa mère. Je lui ai aussi rappelé que David était honnête et reconnaissait qu'il avait besoin de Dieu quand il exprimait ses sentiments. Il termine le psaume en priant : « Secours-moi, Éternel, mon Dieu ! […] Je célébrerai à haute voix l'Éternel. Je le louerai au milieu de la multitude » (versets 26, 30).

Je pense que David et Nancy ont accepté leurs sentiments d'une manière saine. Nos prières dans les moments de stress émotionnel ne sont peut-être pas très nobles. Mais elles sont honnêtes et vraies devant Dieu. Si nous abordons notre moment de prière avec des sentiments de colère, de dépression, de frustration, et que nous prononçons ensuite des banalités pieuses et insipides comme si Dieu ne savait pas ce que nous ressentons, pensez-vous qu'il soit content ? À moins qu'il n'ait changé son opinion sur l'hypocrisie depuis l'époque des pharisiens. Les pharisiens voulaient avoir l'air bien en apparence alors qu'ils étaient loin de l'être à l'intérieur. Leur vie n'était que mensonge. Jésus a dit à ses disciples : « Car je vous le dis, si votre justice n'est pas supérieure à celle des scribes et des pharisiens, vous n'entrerez point dans le royaume des cieux » (Matt. 5 : 20). Aux yeux de Dieu, si nous ne sommes pas honnêtes, nous ne sommes pas en règle.

Reconnaître nos émotions, c'est aussi être vrai devant quelques amis fidèles. Nous ne devrions pas décompresser n'importe où, devant n'importe qui. C'est de l'expression aveugle et nous risquons plus de blesser les autres que de nous aider nous-même. Le modèle biblique semble nous suggérer d'avoir trois amis avec lesquels nous pourrions partager les choses les plus profondes. Lors de ses voyages, Paul avait Barnabas, Silas ou Timothée sur lesquels il pouvait s'appuyer. Dans le jardin de Gethsémané, Jésus a montré sa tristesse à ses amis intimes : Pierre, Jacques et Jean.

Les psychologues nous disent qu'il est difficile pour quelqu'un de maintenir un équilibre mental à moins d'avoir au moins une personne avec laquelle il peut honnêtement partager ses émotions. Si vous avez deux ou trois amis de ce genre dans votre vie, vous êtes réellement bénis.

L'honnêteté émotionnelle : comment la donner et comment l'accepter

Alors que j'étais encore novice dans mon ministère pastoral, j'ai reçu un de ces coups de téléphone au milieu de la nuit que tous les pasteurs redoutent :

— Pasteur, notre fils a eu un accident. Les médecins ne lui donnent plus longtemps à vivre. Pourriez-vous venir à l'hôpital ?

Je suis arrivé à l'hôpital vers une heure du matin. Je me suis assis avec les parents dans la salle d'attente en espérant et priant pour le mieux mais en craignant le pire. À environ quatre heures, le médecin est finalement venu nous annoncer le pire :

— Nous l'avons perdu.

> *On ne répond pas à ceux qui nous expriment leurs sentiments par des mots ; on répond aux émotions par des émotions.*

Naturellement, la famille était effondrée. Pour ma part, j'étais si fatigué et vidé qu'au lieu d'apporter des mots de réconfort, je restai simplement assis et je pleurai avec eux. Je ne trouvais rien à dire. Je suis rentré chez moi tête baissée en pensant que cette famille n'avait pas pu compter sur moi dans ses heures les plus sombres.

Peu après l'accident, les parents du jeune homme ont déménagé. Environ cinq ans plus tard, ils étaient de passage dans notre église et ils m'ont invité à déjeuner.

— Neil, nous n'oublierons jamais ce que tu as fait pour nous quand notre fils est mort, m'ont-ils dit.

— Qu'est-ce que j'ai fait ? ai-je demandé, pensant toujours que je n'avais rien pu leur apporter. J'ai ressenti votre douleur mais je ne savais pas quoi dire.

— Tu n'avais pas besoin de parler, nous avions simplement besoin d'amour. Nous pouvions ressentir ton amour parce que tu pleurais avec nous.

Nous devons apprendre comment réagir quand d'autres partagent honnêtement leurs sentiments avec nous. C'est là un grand défi. On ne répond pas à celui qui nous exprime ses sentiments par des mots ; on répond aux émotions par des émotions. Quand Marie et Marthe, effondrées de douleur, ont accueilli Jésus avec la nouvelle de la mort de Lazare, il a pleuré (Jean 11 : 35). Paul recommande : « Réjouissez-vous avec ceux qui se réjouissent ; pleurez avec ceux qui pleurent » (Rom. 12 : 15).

De plus, ne vous arrêtez pas aux paroles de ceux qui expriment honnêtement leurs émotions. Supposons, par exemple, qu'un couple chrétien que vous connaissez vient de perdre un nouveau-né.

– Pourquoi Dieu a-t-il permis cela ? vous demandent-ils dans leur colère.

Ne répondez pas à cette question. D'abord, vous n'en avez pas la réponse. Ensuite, leur question est une réaction émotionnelle et non une recherche intellectuelle. Leurs paroles ne font que refléter l'intensité de leur douleur. Répondez à leur émotion en partageant leur douleur et en exprimant votre préoccupation, ne donnez pas de réponses. On pleure avec ceux qui pleurent, on ne leur fait pas la leçon.

Même si l'expression de nos émotions ne devrait pas se limiter aux paroles, nous pouvons protéger nos relations intimes en contrôlant la façon dont nous exprimons verbalement nos émotions. Par exemple, vous passez une journée horrible au bureau, alors vous téléphonez à votre femme et vous lui dites :

– Chérie, je suis débordé de travail, je suis sur les genoux. Je ne serai pas de retour avant 18 h et j'ai une réunion à l'église à 19 h. Est-ce que le souper peut être prêt dès que j'arrive ?

Et elle dit oui.

Quand vous poussez la porte d'entrée, vous êtes physiquement épuisé et nerveusement stressé, à 9 sur une échelle de 0 à 10. Vous découvrez que le souper n'est pas prêt comme vous l'aviez demandé.

– Ça alors ! lui criez-vous. Qu'est-ce que tu as fichu ? Je voulais que le souper soit prêt à 18 h ! C'est pour ça que je t'ai téléphoné !

Votre femme est-elle vraiment la cause de votre accès de colère ? Pas vraiment. Vous avez eu une mauvaise journée et vous êtes fatigué, affamé et stressé. Ce n'est pas de sa faute. N'importe quoi aurait pu déclencher la tempête. Vous auriez tout aussi bien pu frapper le chien. Pourtant, vous vous déchargez sur votre femme et vous attribuez cette réaction à l'honnêteté émotionnelle.

N'oubliez pas l'amour dans votre désir d'être honnête. En apprenant que le souper n'est pas prêt comme vous l'aviez demandé, vous auriez pu dire :

– Chérie, je suis au bout du rouleau physiquement et nerveusement.

Ce genre d'honnêteté non dirigée accomplit deux choses importantes. D'abord, vous n'accusez pas votre femme et elle n'est plus sur la sellette. Ensuite, comme elle ne doit pas se défendre, elle peut penser à vous. Elle peut dire :

– Le dîner sera prêt dans 20 minutes. Va te coucher et détends-toi ; je m'occupe des enfants, ils ne te dérangeront pas. Tu seras à ta réunion à l'heure.

Supposons que vous êtes la femme et que vous avez eu une journée atroce à la maison. Votre mari rentre en sifflotant joyeusement et demande si le souper est prêt.

– Qu'est-ce que tu veux dire par « Est-ce que le souper est prêt » ? explosez-vous. Tu crois que c'est tout ce que j'ai à faire ? Les enfants n'ont pas arrêté de m'énerver tout l'après-midi et...

C'est de l'honnêteté émotionnelle, à coup sûr, mais vous ne faites que mettre le feu aux poudres.

Vous pourriez plutôt dire :

– Chéri, j'en ai assez. La machine à laver est tombée en panne et les gosses étaient déchaînés. J'en ai par-dessus la tête.

Votre honnêteté non dirigée permet à votre mari de ne pas devoir se défendre et ouvre la voie pour qu'il dise :

– Si on allait au MacDonald ?

Quand il s'agit de partager vos émotions avec vos amis intimes, l'honnêteté est toujours la meilleure solution. Mais n'oubliez pas de dire la vérité avec amour (Éph. 4 : 15).

Un autre principe important quand il s'agit d'accepter et d'exprimer nos émotions, c'est de connaître nos limites. Soyons conscients que si nous sommes à sept ou à huit sur l'échelle émotionnelle – en colère, tendus, nerveux, déprimés – ce n'est pas le moment de prendre de grandes décisions. Nos émotions peuvent nous pousser à résoudre le conflit que nous rencontrons, mais nous pourrions regretter cette résolution si nous allons trop loin. Nous allons peut-être dire des choses que nous regretterons plus tard. Quelqu'un va être blessé. Il conviendrait bien plus de reconnaître nos limites émotionnelles et de dire :

– Si on continue à parler, je vais me mettre en colère. Peut-on continuer cette conversation plus tard ?

Reconnaissons aussi que de nombreux facteurs physiques influencent nos limites émotionnelles. Si nous avons faim, reportons une discussion émotionnellement dense à plus tard, après le souper par exemple. Si nous sommes fatigués, prenons une bonne nuit de sommeil. Pour finir, mesdames, soyez conscientes que certains jours du mois sont plus propices à l'expression positive des émotions que d'autres. Quand à vous, messieurs, vous seriez sages de comprendre le cycle hormonal de votre femme pour les mêmes raisons.

Pour renouveler nos pensées, nous devons apprendre à gérer nos émotions en contrôlant nos pensées et nos perceptions, en reconnaissant et partageant nos sentiments dans l'honnêteté et l'amour. Savoir réagir aux signaux que lancent nos émotions nous permettra d'empêcher le diable d'avoir une emprise sur notre vie.

CHAPITRE 11

Guérir les blessures du passé

Daniel et Sandra, un jeune couple chrétien sympathique, se préparaient pour le travail missionnaire. Puis ce fut le drame. Sandra fut violée et tous deux en étaient déchirés. La blessure était si profonde qu'ils ont quitté la région où cela s'était produit. Malgré tous ses efforts pour retrouver une vie normale, Sandra ne pouvait pas se débarrasser des souvenirs et des sentiments horribles liés à cette expérience.

Six mois après le viol, Daniel et Sandra ont participé à une conférence où je parlais. Pendant la conférence, Sandra me téléphona en larmes.

– Neil, je n'arrive pas à m'en défaire. Je sais que Dieu peut en faire ressortir quelque chose de bien, mais comment va-t-il s'y prendre ? Chaque fois que je pense à ce qui m'est arrivé, je me mets à pleurer.

– Attends un peu, Sandra, ai-je dit. Il y a quelque chose que tu ne comprends pas bien. Dieu fera en sorte que toutes choses concourent au bien, mais il ne transformera pas le mal en bien. Ce qui t'est arrivé était très mal. Le bien que Dieu veut en faire sortir, c'est de te montrer comment tu peux traverser cette crise et devenir quelqu'un de meilleur.

– Mais je n'arrive pas à me détacher de cette expérience, san-glota-t-elle, j'ai été violée, Neil, et j'en souffrirai toute ma vie.

– Non Sandra, ai-je insisté, tu as subi un viol, mais le viol ne t'a pas changée, il ne doit pas non plus te dominer. Tu as été la victime d'un traumatisme terrible et horrible. Mais si tu te considères comme la victime d'un viol pour le reste de ta vie, tu ne t'en sortiras jamais. Tu es une enfant de Dieu. Aucun événement, aucune personne bonne ou mauvaise, ne peut empêcher cela.

Le mal arrive même aux gens bien

Votre histoire n'est probablement pas aussi tragique que celle de Sandra, mais nous avons tous vécu dans notre passé un certain nombre d'expériences tragiques et douloureuses qui ont laissé des cicatrices émotionnelles. Vous avez peut-être grandi avec un parent qui vous maltraitait physiquement, émotionnellement ou sexuelle-ment. Vous avez peut-être été terriblement effrayé en tant qu'en-fant. Vous avez peut-être souffert d'une relation douloureuse dans le passé : une amitié brisée, le décès inattendu d'un proche, un divorce. Toutes sortes d'événements graves de votre passé peuvent avoir alourdi votre âme d'un poids émotionnel qui semble freiner votre croissance et votre liberté en Christ.

Contrairement à nos émotions au jour le jour qui sont le produit de nos pensées au jour le jour, les cicatrices émotionnelles du passé restent toujours. Des années d'expériences et de contact ont creusé des sillons émotionnels en vous, produisant une réaction déterminée quand un certain sujet est abordé. En fait, en tant qu'adulte, nous ne sommes émotionnellement neutres pour aucun sujet.

Par exemple, vous avez réagi émotionnellement au thème du viol quand vous avez lu l'histoire de Sandra au début de ce chapitre. Si vous ou l'un de vos proches a eu une expérience semblable dans le passé, le simple fait de mentionner un viol peut vous avoir projeté vers un 8 ou un 9 sur une échelle émotionnelle allant de 0 à 10. Vous avez immédiatement ressenti une bouffée de colère, de haine, de crainte ou d'indignation. Toutefois, si vous avez seulement lu des articles ou des livres sur le sujet, sans avoir jamais été la victime d'un viol ou n'en avoir jamais rencontré ou aidé, votre poids émotionnel sur ce sujet sera très limité : peut-être à 1 ou 2 sur l'échelle. Mais, dans tous les cas, vous n'êtes pas neutre.

Même une chose aussi anodine qu'un nom peut provoquer une réaction émotionnelle. Si votre grand-père sympathique et doux s'appelait Jean, vous avez probablement une réaction émotionnelle favorable à tous ceux qui s'appellent Jean. Mais si vous aviez un instituteur appelé Jean qui était un tyran, ou si le voyou de l'école s'appelait Jean, votre première réaction aux Jean de votre vie sera probablement négative. Si votre épouse avait la bonne idée de suggérer :

– Si on appelait notre fils Jean ?

Vous pourriez réagir assez durement :

– Je préfère encore mourir !

Ces émotions qui se cachent sous la surface et qui peuvent ressurgir à tout moment, je les appelle des *émotions primaires*. L'intensité de nos émotions primaires est déterminée par l'ensemble de notre vie passée. Plus nos expériences étaient douloureuses, plus nos émotions primaires seront intenses. Notez l'ordre des événements :

- **L'ensemble du passé** (détermine l'intensité de nos émotions primaires)
- **L'événement présent** (déclenche l'émotion primaire)
- **L'émotion primaire**
- **L'évaluation mentale** (l'étape d'analyse)
- **L'émotion secondaire** (le résultat de notre réflexion et de l'émotion primaire)

Beaucoup de ces émotions primaires couvent en nous et ont très peu d'effet dans notre vie jusqu'à ce que quelque chose vienne les déclencher. Avez-vous déjà lancé un sujet de conversation qui a perturbé quelqu'un et l'a soudainement mis en colère ?

– Qu'est-ce qui lui prend ? vous êtes-vous demandé.

Il « lui a pris » qu'une mauvaise expérience du passé a été activée par votre conversation. Le simple fait d'en toucher la surface peut lui faire monter les larmes aux yeux. Le déclencheur peut être n'importe quoi dans l'événement présent qu'il associe au conflit du passé.

La plupart des gens essaient de maîtriser leurs émotions primaires en évitant les personnes ou les événements qui les déclenchent. Mais nous ne pouvons pas nous isoler complètement de tout ce qui peut provoquer une réaction émotionnelle. Inévitablement, quelque chose à la télévision ou dans une conversation fera ressurgir notre expérience négative. Nous devons apprendre à résoudre les conflits du passé pour que ce poids émotionnel ne s'accumule pas et qu'il ne nous pousse pas à nous isoler progressivement. Le passé continuera à dominer notre vie si notre capacité à en résoudre les conflits continue à décroître.

Apprendre à résoudre les émotions primaires

Nous n'avons aucune maîtrise sur nos émotions primaires quand elles sont déclenchées. Il est inutile de se sentir coupable de quelque chose que nous ne pouvons pas maîtriser. Mais nous pouvons immédiatement évaluer la situation présente et la maîtriser. Par exemple, supposons que vous rencontrez un homme qui s'appelle Jean. Il ressemble au Jean qui vous tabassait quand vous étiez petit. Même s'il ne s'agit pas de la même personne, votre émotion primaire montera jusqu'à 5 sur l'échelle émotionnelle. Mais vous vous rappelez très vite que ce n'est pas le même Jean et vous vous raisonnez. De fait, vous revenez mentalement à 2. C'est de cette façon que nous contrôlons la réalité présente. J'appelle les résultats de ce raisonnement les émotions *secondaires*.

Vous avez non seulement utilisé ce raisonnement vous-même des milliers de fois, mais vous avez aussi aidé les autres à le faire. Quelqu'un sort de ses gonds, vous l'arrêtez et vous lui dites de se reprendre en main. Vous aidez cette personne à se maîtriser en la faisant réfléchir. Notez la façon dont fonctionne ce système la prochaine fois que vous regardez un match de football et que le jeu devient dangereux. Un joueur agrippe son coéquipier et lui dit :

– Écoute, mon ami, tu ferais bien de te calmer ou tu vas recevoir un carton rouge et nous faire perdre.

Plus tard, le joueur énervé verra plus clair et se sentira même un peu honteux de toute l'histoire.

D'une manière très générale, les « thérapeutes de la réalité » ont tendance à s'occuper des émotions secondaires et les psychothérapeutes traitent les émotions primaires. Certains chrétiens affirment que le passé n'est pas important. Si on parle de vérités, alors je suis d'accord. Les vérités restent vraies au passé, au présent et à l'avenir. Mais si on parle de ce que les gens vivent réellement, je ne serais pas d'accord. La plupart des gens qui nient le passé ont eux-mêmes dans leur passé des conflits majeurs qui restent irrésolus et qu'ils ne veulent pas voir resurgir. Ou alors, ils ont l'extrême privilège d'avoir un passé libre de tout conflit. Ceux qui ont vécu des traumatismes et ont appris à les résoudre en Christ savent à quel point le passé peut être dévastateur pour le présent.

La plupart des gens que j'ai l'occasion d'aider ont vécu des traumatismes majeurs. Certains ont tellement souffert qu'ils n'ont pas conservé le souvenir de leurs expériences. D'autres évitent constamment ce qui éveillera ces souvenirs. Tous ces gens ont eu de très fortes émotions, jusqu'à 10 sur notre fameuse échelle – et certains en sont restés là. Ils sont incapables de réfléchir à ces expériences du passé, ils ont essayé de survivre et de faire face grâce à une multitude de mécanismes de défense. Certains vivent dans le refus, d'autres rationalisent la douleur ou essaient de la supprimer avec la nourriture, la drogue ou le sexe.

Ce n'est toutefois pas la solution que Dieu apporte. Dieu fait tout au grand jour. En sachant cela, nous pouvons toujours nous attendre à ce que Dieu ramène nos anciens conflits à la surface au bon moment pour que tout soit mis en lumière et résolu. J'ai remarqué que, lorsqu'un conflit vécu par une personne est profondément traumatisant, bien souvent Dieu permet à cette personne d'atteindre la maturité suffisante pour être capable de faire face à la réalité du passé. Avec bien des personnes, j'ai prié que Dieu veuille révéler tout ce qui dans leur passé les tient liées – et Dieu a répondu à ces prières. Pourquoi ne prions-nous pas plus souvent de cette manière dans la relation d'aide ? Je suis étonné de voir à quel point le « Grand Conseiller » est tenu à l'écart dans la relation d'aide chrétienne.

Le fait de contourner Dieu dans la guérison
par des drogues ou par l'hypnose peut enfoncer
quelqu'un dans un bourbier de désespoir dont
il ne pourra s'échapper.

Je suis personnellement opposé aux programmes qui utilisent la drogue ou l'hypnose pour tenter de faire resurgir un souvenir réprimé en contournant la conscience de la personne. Tout ce que je lis dans les Écritures concernant la pensée stimule le croyant à être mentalement actif et non passif. Le fait de contourner Dieu dans la guérison par des drogues ou par l'hypnose peut enfoncer quelqu'un dans un bourbier de désespoir dont ne pourra s'échapper.

Je crois que la réponse que Dieu apporte aux conflits réprimés se trouve dans le Psaume 139 : 23-24 : « Sonde-moi, ô Dieu, et connais mon cœur ! Éprouve-moi, et connais mes préoccupations ! Regarde si je suis sur une mauvaise voie, et conduis-moi sur la voie de l'éternité ! » Dieu connaît les blessures cachées en nous que nous ne sommes pas toujours capables de voir. Quand nous demandons à Dieu de sonder notre cœur, il révélera les zones sombres de notre passé et les mettra en lumière au moment opportun.

Voir notre passé à la lumière de ce que nous sommes

Comment Dieu veut-il donc résoudre ces expériences passées ? De deux façons. D'abord, nous avons le privilège d'évaluer nos expériences passées à la lumière de ce que nous sommes aujourd'hui, par opposition à ce que nous étions alors. L'intensité de l'émotion primaire a été déterminée par la façon dont nous avons perçu l'événement au moment où il s'est produit. N'oublions pas que nos émotions sont le produit de notre perception de l'événement et pas de l'événement lui-même. Refusons de croire que nous sommes simplement le produit de nos expériences passées. Puisque nous sommes chrétiens, nous sommes principalement le produit de l'œuvre de Christ sur la croix. Nous sommes littéralement une nouvelle créature en Christ. Les choses anciennes, y compris les traumatismes que nous avons vécus, sont passées. Notre vieux moi est mort ; notre nouveau moi est là. Seule la chair, qui représente la façon dont nous assimilons ces événements selon le monde et sans Christ, reste. Mais nous pouvons la neutraliser.

Ceux qui ont été meurtris dans le passé ont eu leurs émotions fixées au niveau 10 de l'échelle. Quand un événement présent active cette émotion primaire, ils croient ce qu'ils ressentent au lieu de croire ce qui est vrai. Par exemple, ceux qui ont été verbalement maltraités par leurs parents ont du mal à croire que leur Père céleste les aime sans conditions. Leur émotion primaire les persuade qu'ils sont indignes de l'amour d'un parent. Si on leur a toujours répété qu'ils ne feront jamais rien de bon dans la vie, ils ont du mal à croire qu'ils ont une grande valeur aux yeux de Christ. Ils croient ce qu'ils ressentent et leur marche est faussée. Croire la vérité et marcher par la foi, voilà ce qui nous libère.

Puisque nous sommes en Christ, nous pouvons regarder ces événements en fonction de ce que nous sommes aujourd'hui. Nous sommes peut-être tourmentés par la question suivante :

– Où était Dieu quand tout ceci s'est passé ?

Ne nous préoccupons pas de ce qui se passait à l'époque. Voici la vérité : il est présent dans notre vie maintenant et il désire nous libérer de notre passé. C'est l'Évangile, la bonne nouvelle du Christ venu pour libérer les captifs. Et c'est cette perception des événements en fonction de notre nouvelle identité en Christ, qui va déclencher le processus de guérison de nos émotions meurtries.

Une chère missionnaire chrétienne que je connais luttait avec son passé parce qu'elle avait découvert que son père était un homosexuel. Je lui ai demandé comment cette découverte avait influencé son identité. Elle a commencé à me répondre en parlant de sa famille naturelle, puis elle s'arrêta brusquement. Elle s'est tout à coup rendu compte que rien n'avait changé son identité réelle en Christ. En le sachant, elle pouvait faire face aux problèmes de sa famille humaine sans être émotionnellement dévastée par ces problèmes. Elle fut soulagée quand elle se rendit compte de toute la sécurité qu'elle possédait dans sa relation avec Dieu, son vrai Père. Les émotions qui en résultaient reflétaient la réalité parce que la façon dont elle se percevait correspondait à la vérité.

Pardonner à ceux qui nous ont blessés dans le passé

La deuxième étape pour résoudre les conflits du passé consiste à pardonner à ceux qui nous ont offensés. Après avoir encouragé Sandra à faire face à la douleur émotionnelle de son viol, je lui ai dit :

– Sandra, tu as aussi besoin de pardonner à l'homme qui t'a violée.

La réponse de Sandra était la même que celle de beaucoup de croyants qui ont souffert physiquement, émotionnellement ou sexuellement par la faute d'autrui :

– Comment puis-je lui pardonner ? Ce qu'il a fait était mal.

Vous vous êtes peut-être posé la même question. Pourquoi devrais-je pardonner à ceux qui m'ont blessé dans le passé ?

D'abord, le pardon est exigé par Dieu. Dès que Jésus a prononcé l'amen de sa prière modèle – qui comprenait une demande du pardon de Dieu – Il a commenté : « Si vous pardonnez aux hommes leurs fautes, votre Père céleste vous pardonnera aussi, mais si vous ne pardonnez pas aux hommes, votre Père ne vous pardonnera pas non plus vos fautes » (Matt. 6 : 14-15). Dans nos relations avec les autres, nous devons avoir les mêmes critères que Dieu a dans sa relation avec nous, à savoir : l'amour, l'accueil et le pardon (Matt. 18 : 21-35).

Deuxièmement, le pardon est nécessaire pour éviter d'être piégé par Satan. J'ai découvert dans la relation d'aide que le refus de pardonner est la première porte que Satan utilise pour entrer dans la vie d'un croyant. Paul nous encourage à nous pardonner mutuellement « afin de ne pas laisser à Satan l'avantage sur nous, car nous n'ignorons pas ses desseins » (2 Cor. 2 : 11). Le refus de pardonner est une invitation à l'emprise de Satan sur notre vie.

Troisièmement, le pardon doit être la norme parmi tous les croyants. Paul a écrit : « Amertume, irritation, colère, éclats de voix, insultes : faites disparaître tout cela du milieu de vous, ainsi que toute forme de méchanceté. Soyez bons et compréhensifs les uns envers les autres. Pardonnez-vous réciproquement comme Dieu vous a pardonné en Christ » (Éph. 4 : 31-32 – *Semeur*).

Qu'est-ce que le pardon ?

Pardonner, ce n'est pas oublier. Ceux qui essaient de pardonner en oubliant les offenses subies ne réussissent souvent à faire aucun des deux. Nous disons fréquemment que Dieu a oublié nos péchés (Héb. 10 : 17). Mais Dieu est omniscient : même lui ne peut pas oublier. Au contraire, il se sépare de notre péché confessé et pardonné en choisissant volontairement de ne jamais l'utiliser contre nous (Ps. 103 : 12). Nous pouvons pardonner sans oublier.

Pardonner ne veut pas dire que nous devions tolérer le péché. Isabelle, une jeune mère qui participait à une de mes conférences, m'a parlé de sa décision de pardonner à sa mère. Cette dernière l'avait constamment manipulée pour attirer l'attention sur elle. Mais Isabelle ajouta en pleurant :

– Que vais-je faire quand je la verrai la semaine prochaine ? Elle n'aura pas changé. Elle va sûrement essayer de s'immiscer entre ma famille et moi comme elle l'a toujours fait. Dois-je continuer à la laisser diriger ma vie ?

Non, pardonner à quelqu'un ne signifie pas devenir un paillasson devant son péché continuel. J'ai encouragé Isabelle à en parler à sa mère, avec amour et fermeté, en lui disant qu'elle ne pourrait plus tolérer ses manipulations destructrices. Il est bon de pardonner les péchés passés des autres, et en même temps de prendre position contre les péchés futurs.

Le pardon n'exige pas une revanche ou une restitution pour les offenses subies.

– Vous voulez dire qu'il peut s'en tirer aussi facilement ? pourriez-vous protester.

Oui, *vous* le laissez s'en tirer en sachant que Dieu, *lui*, ne le laisse pas s'en tirer. Vous aurez peut-être envie d'exiger que justice soit faite, mais vous n'êtes pas un juge impartial. Dieu est le juste Juge qui rétablira la justice (Rom. 12 : 19). Votre responsabilité, c'est d'offrir la miséricorde du pardon et de laisser la justice aux mains de Dieu.

Pardonner, c'est décider de vivre avec les conséquences du péché d'un autre. En réalité, nous devons vivre avec les conséquences du péché de l'offenseur, que nous lui pardonnions ou non. Par exemple, imaginez que quelqu'un de votre église vienne vous voir et dise :

– J'ai dit du mal de toi à certaines personnes, est-ce que tu veux bien me pardonner ?

Vous ne pouvez pas retirer ce qui a été dit aux autres, pas plus que vous ne pouvez remettre le dentifrice dans le tube après qu'il est sorti. Vous allez devoir vivre avec les mensonges que cette personne a répandus quelle que soit votre attitude envers le menteur. Vous pouvez choisir de vivre soit dans la rancune et sans pardon, soit dans la paix et le pardon en décidant de ne pas utiliser l'offense contre la personne qui vous a offensé. La dernière option est, bien sûr, celle de Dieu.

Attendez-vous à voir en vous des résultats positifs du pardon. Après un certain temps, vous pourrez penser à ceux qui vous ont offensé sans ressentir de douleur, de colère ou de rancune.

Douze étapes vers le pardon

Vous dites peut-être :
– Je ne peux pas pardonner à cette personne parce qu'elle m'a trop blessé.

Oui, la douleur est réelle. Personne n'a jamais pardonné sans reconnaître la douleur et la haine qui font partie de l'offense. Mais à moins de pardonner à cette personne, elle continuera à vous blesser parce que vous ne vous êtes pas libéré du passé. Le pardon est le seul moyen de mettre fin à la douleur.

Voici douze étapes simples que vous pouvez utiliser pour vous aider à pardonner à quelqu'un qui vous a blessé dans le passé. En suivant ces étapes, vous pourrez vous délier du passé et progresser dans votre vie.

1. Écrivez sur une feuille de papier le nom de ceux qui vous ont offensé. Mettez par écrit les torts précis dont vous avez souffert (par exemple : le rejet, l'absence d'amour, l'injustice, les mauvais traitements physiques, verbaux, sexuels ou émotionnels, la trahison, la négligence, etc.)
Parmi les centaines de personnes qui ont fait cette liste dans mon bureau lors d'une relation d'aide, 95 % d'entre eux ont placé leur père et leur mère en première et deuxième position. Trois des quatre premiers noms sur la plupart des listes étaient des parents proches. Les deux noms les plus oubliés étaient Dieu et nous-mêmes. Dieu n'a pas besoin d'être pardonné, mais nous avons parfois des attentes irréalistes à son égard et nous ressentons de la colère ou de la rancune envers lui. Nous devons libérer Dieu de ces attentes et de ces sentiments. Et certains d'entre nous ont besoin de se pardonner à eux-mêmes pour des faiblesses et des péchés que Dieu a pardonnés depuis longtemps.

2. Regardez la douleur et la haine en face. Écrivez ce que vous ressentez en pensant à ces personnes et à leurs offenses. Souvenez-vous : ce n'est pas un péché de reconnaître la réalité de nos sentiments. Dieu sait exactement ce que nous ressentons, que nous l'admettions ou non. Si nous étouffons nos sentiments, nous perdons la possibilité de pardonner. Nous devons aussi pardonner avec le cœur.

3. Reconnaissez l'importance de la croix. C'est la croix de Christ qui rend le pardon moralement et légalement possible. Jésus a pris sur lui tous les péchés du monde – y compris les nôtres et ceux de nos offenseurs – et il est mort

« une fois pour toutes » (Héb. 10 : 10). Encore une fois,
nous pourrions protester :
– Ce n'est pas juste ! Où est la justice ?
La justice est dans la croix.

4. Décidez que vous allez porter le fardeau du péché de
chaque personne (Gal. 6 : 1-2) : à l'avenir, vous ne ripos-
terez pas en utilisant contre eux l'information concernant
leur péché (Luc 6 : 27-34 ; Prov. 17 : 9). Tout vrai pardon est
substitutif comme le pardon de Christ l'est pour nous.

5. Décidez de pardonner. Le pardon est un effort de volonté,
un choix conscient de laisser l'autre s'en tirer et de nous
libérer nous-même du passé. Vous n'aurez probablement
pas envie de prendre cette décision, mais c'est un effort de
volonté. Puisque Dieu nous dit de le faire, nous pouvons
choisir de le faire. L'autre personne peut avoir réellement
tort et devrait peut-être être soumise à la discipline de
l'église ou même livrée à la justice. Mais ce n'est pas
votre préoccupation principale. *Votre* responsabilité est de
la laisser s'en tirer. Prenez cette décision maintenant ; les
sentiments de pardon viendront avec le temps.

6. Remettez votre liste à Dieu et priez comme suit :
– Je pardonne à (*nom*) d'avoir (*citez l'offense*).
Si vous avez ressenti de la rancune à l'égard de cette personne pendant longtemps, vous pourriez aller trouver un
conseiller chrétien ou un ami fidèle qui priera avec vous à
ce sujet (Jac. 5 : 16).

7. Détruisez la liste. Vous êtes libre. Ne dites pas à l'offenseur ce que vous avez fait. Votre pardon est une histoire
entre vous et Dieu seul ! La personne à qui vous deviez
pardonner est peut-être décédée.

8. Ne vous attendez pas à ce que votre décision de pardonner provoque des changements importants chez l'autre
personne. Au contraire, priez pour elle (Matt. 5 : 44) pour
qu'elle puisse aussi découvrir la liberté qu'apporte le pardon (Gal. 5 : 1, 13-14).

9. Essayez de comprendre les personnes à qui vous avez pardonné. Elles sont aussi des victimes.
10. Attendez-vous à voir en vous des résultats positifs du pardon. Après un certain temps, vous pourrez penser à ceux qui vous ont offensé sans ressentir de douleur, de colère ou de rancune. Vous pourrez être avec eux sans réagir négativement.
11. Remerciez Dieu pour les leçons que vous avez apprises et la maturité que vous avez acquise suite aux offenses et à votre décision de pardonner aux offenseurs (Rom. 8 : 28-29).
12. N'oubliez pas d'accepter votre part de responsabilité pour les offenses que vous avez subies. Confessez vos échecs à Dieu et aux autres (1 Jean 1 : 9), et si quelqu'un a quelque chose contre vous, allez le trouver (Matt. 5 : 23-26).

Touché une seconde fois

Une des plus grandes crises personnelles que j'aie rencontrées dans mon ministère tournait autour de la question du pardon et d'un membre du conseil que j'appellerais Charles. J'avais du mal à m'entendre avec cet homme, je lui ai donc demandé si nous pouvions nous rencontrer une fois par semaine. Je n'avais qu'un seul but : essayer d'établir une relation plus profonde avec lui.

Environ quatre mois après le début de nos rencontres, j'ai demandé au conseil si je pouvais organiser un voyage en Israël pour un groupe de l'église. Charles prit immédiatement la parole :

– Je suis contre, parce que s'il organise le voyage, le pasteur pourra voyager gratuitement, et ce serait comme si on lui donnait une prime supplémentaire.

Après avoir assuré Charles et le conseil que je paierais mon voyage et le compterais dans mes jours de congé, ils donnèrent leur accord.

Malgré le conflit avec Charles qui me pesait, le voyage en Israël fut une expérience spirituelle merveilleuse pour moi. Lors d'un des jours libres à Jérusalem, j'ai passé plusieurs heures seul dans l'*Église de toutes les nations*, à parler à Dieu de mon conflit avec Charles.

Je fixais les rochers où il est dit que Christ avait sué des gouttes de sang alors qu'il se préparait à mourir. J'ai conclu en disant à Dieu que si Jésus pouvait prendre sur lui-même tous les péchés du monde, je pouvais certainement supporter les péchés d'une seule personne pénible.

Deux semaines après notre retour, Charles a changé de tactique et a dirigé ses attaques contre le responsable du groupe de jeunes. C'en était trop. Je pouvais supporter l'opposition de Charles à mon égard. Mais quand il s'est acharné sur le responsable des jeunes, les limites de ma patience étaient atteintes. J'ai décidé de démissionner.

Une semaine avant le jour où j'avais décidé d'annoncer ma démission à l'église, je suis tombé malade. J'ai dû rester couché avec 39,5° de fièvre et j'étais complètement aphone. J'ai commencé à lire les Évangiles et je suis tombé sur Marc 8 : 22-26 où Jésus guérit l'aveugle. J'ai remarqué qu'après le premier geste de Jésus, l'homme dit : « Je vois des hommes, mais comme des arbres » (v. 24). J'ai tout à coup compris que c'était la façon dont je voyais Charles : comme un grand arbre, un obstacle qui bloque mon chemin et dont les branches m'écorchent chaque fois que je le rencontre.

Jésus a ensuite touché l'homme aveugle une seconde fois et il a commencé à voir les hommes comme des hommes et non comme des arbres.

– Seigneur, j'ai besoin que tu me touches une seconde fois aussi, ai-je murmuré en larmes. Je vois que tu as placé Charles sur ma route pour que je me tourne vers ton objectif pour moi, qui est d'être le pasteur que tu veux que je sois.

À ce moment-là, j'ai choisi de pardonner à Charles complètement.

Le dimanche suivant, je suis allé à l'église, non pour démissionner, mais pour prêcher. Ma voix était si rauque, que je pouvais à peine parler. Mais j'ai réussi à coasser un message tiré de Marc 8 : 22-26, sur notre tendance à être indépendants malgré notre grand besoin de Dieu et des autres. J'ai confessé à l'assemblée ma propre indépendance, exprimant mon désir d'être touché par le Seigneur afin de voir les gens comme des gens, et non comme des obstacles sur ma route.

À la fin du sermon, j'ai invité tous ceux qui désiraient que le Seigneur les touche une seconde fois à s'approcher. Nous avons chanté un cantique et les gens n'arrêtaient pas de venir. Bientôt, les premiers rangs de l'église et les allées débordaient de personnes. Nous avons ouvert les portes latérales et la foule s'est déversée sur la pelouse pour prier. Finalement toute l'église, à l'exception de quelques personnes, était venue devant. C'était un réveil !

Devinez qui n'est pas venu ? Pour autant que je sache, Charles n'a jamais changé, mais moi j'ai changé. J'ai continué à m'élever contre ce que je croyais être mal, parce que j'étais déterminé à ne pas tolérer le péché. Mais je n'ai plus réagi avec rancune. Et je remercie Dieu encore aujourd'hui de m'avoir couché sur un lit pour changer mon point de vue à l'égard de Charles et pour faire de moi le pasteur qu'il voulait que je sois.

CHAPITRE 12

Accepter d'être rejeté dans nos relations

Pendant ses quarante années de vie, Rose avait été rejetée plus que n'importe quelle autre personne que je connaissais. Elle avait été rejetée avant même de naître par sa mère non mariée, elle avait miraculeusement survécu à un avortement pratiqué après six mois de grossesse. La mère de Rose l'avait ensuite abandonnée à son père qui, à son tour, l'avait confiée à sa grand-mère. Cette dernière était impliquée dans un mélange bizarre de pratiques religieuses et occultes. Rose a donc été élevée dans une atmosphère de spiritisme et autres expériences démoniaques étranges.

Rose s'est mariée à 14 ans pour échapper à sa grand-mère. À 21 ans, elle avait cinq enfants, tous convaincus par leur père que Rose ne valait rien. En fin de compte, son mari et ses enfants l'ont tous abandonnée. Comme elle se sentait totalement rejetée, Rose a tenté de se suicider plusieurs fois. Elle a accepté Christ à cette époque, mais ceux qui la connaissaient avaient peur qu'elle récidive.

– Ne te suicide pas, l'encourageaient-ils, accroche-toi, ça ira mieux.

Mais elle était encore harcelée par des voix et sa maison était infestée d'une présence spirituelle sombre et étrange.

C'est dans ces conditions que Rose a participé à une conférence d'une semaine, organisée par son église. Le mercredi soir, la prédication concernait le pardon : tous les participants étaient encouragés à faire la liste des personnes auxquelles ils devaient pardonner. Au milieu de la réunion, Rose a dû quitter la salle, apparemment prise d'une crise d'asthme. En réalité, Satan essayait désespérément de l'empêcher de connaître la liberté en Christ.

L'après-midi suivant, le pasteur et moi avons rencontré Rose en privé pour la conseiller et prier avec elle. Quand nous avons commencé à parler du pardon, Rose a sorti la liste qu'elle avait rédigée : quatre pages avec le nom des personnes qui l'avaient blessée ou rejetée au cours des années ! Pas étonnant que Satan eût tant de succès dans sa vie. Presque tout le monde l'avait abandonnée.

Nous l'avons accompagnée à travers les différentes étapes du pardon et elle est sortie du bureau complètement libre. Pour la première fois, elle a réalisé que Dieu l'aimait et qu'il ne la rejetterait jamais. Elle est rentrée chez elle enthousiaste et pleine de joie. Les voix sataniques qu'elle entendait et la présence malsaine dans sa maison disparurent.

La plupart d'entre nous n'ont pas été rejetés dans la même mesure que Rose. Mais tous, nous éprouvons dans notre vie les mêmes sentiments lorsque nous sommes critiqués ou rejetés par des gens à qui nous voulons désespérément plaire. Nous naissons et nous grandissons dans un environnement qui choisit ses favoris et rejette les seconds choix. Et puisque personne ne peut être bon en tout, nous avons tous été ignorés, négligés ou rejetés par nos parents, professeurs et amis à un moment ou l'autre.

De plus, puisque nous sommes nés dans le péché, même Dieu nous rejetait avant que nous ne soyons acceptés par lui en Christ à notre conversion (Rom. 15 : 7). Depuis, nous sommes la cible de Satan, l'accusateur de nos frères (Apoc. 12 : 10), qui ne cesse jamais de nous mentir pour nous faire croire que nous sommes sans valeur aux yeux de Dieu et des autres. Dans cette vie, nous devons tous supporter la douleur et la pression d'être rejetés.

Quand nous sommes critiqués ou rejetés

Le sentiment d'être rejeté et les pensées qui l'accompagnent peuvent être des obstacles majeurs sur la route de la croissance et de la maturité si nous n'apprenons pas à les accepter d'une manière positive. Malheureusement, au lieu d'avoir une telle approche positive, nous apprenons tous très tôt à réagir à ces rejets en adoptant un de ces trois mécanismes de défense (voir figure 12-A). Même les chrétiens ont tendance à être sur la défensive quand ils se sentent rejetés par leur famille, leur école ou la société en général.

Vaincre le système

Un petit pourcentage de personnes se protège du rejet en jouant le jeu du système. Ils acceptent la compétition et se battent comme des loups pour essayer de rester en tête de la meute. Ce sont les décideurs et les leaders, ceux qui parviennent à se faire accepter et respecter grâce à leurs performances. Ils se sentent poussés à prendre le dessus de chaque situation car lorsqu'ils gagnent ils peuvent aussi se faire accepter. Ils sont caractérisés par le perfectionnisme, l'isolement émotionnel, l'anxiété et le stress.

Spirituellement, l'individu de cette catégorie refuse de se soumettre à l'autorité de Dieu et il a peu de communion avec Dieu. Cette personne est habituée à dominer et à manipuler les gens et les circonstances à ses propres fins : il lui est donc difficile de céder le contrôle de sa vie à Dieu. Dans nos églises, il joue des coudes pour être président du conseil ou essaie d'avoir le bras long dans les comités. Sa motivation n'est toutefois pas de servir Dieu dans ces postes, mais de dominer son monde parce que sa valeur personnelle en dépend. Les dominateurs qui veulent vaincre le système sont aussi ceux qui se sentent le plus menacés.

Malheureusement, la stratégie défensive du dominateur ne fait que reporter le rejet inévitable. Avec le temps, sa capacité de dominer sa famille, ses employés et sa famille diminue, et il est remplacé par un dominateur plus jeune et plus fort. Certains survivent à cette crise, mais la plupart de ceux qui arrivent à la retraite n'en profitent pas beaucoup. Des études montrent que les cadres supérieurs meurent en moyenne six mois après le début de leur retraite : ils ne peuvent plus dominer ou manipuler leur monde, alors ils meurent.

Céder au système

– Pasteur, je suis nul, me dit un jeune lycéen avec dépit.

Il m'expliqua qu'il voulait être le meilleur de l'équipe de football, mais il avait perdu sa place dans l'équipe. Au lieu d'être sur le terrain, sous les applaudissements, il devait se contenter de la fanfare. Et comparé à un avant-centre, un joueur de clarinette est nul.

La plupart des gens aujourd'hui réagissent comme ce garçon quand ils se sentent rejetés : ils cèdent tout simplement au système. Ils continuent à faire des efforts pour essayer de plaire aux autres, mais leurs échecs les poussent à croire qu'ils sont indignes d'amour et d'acceptation. Le système dit que les meilleurs, les plus forts, les plus beaux et les plus talentueux sont « dans le coup ». Ceux qui ne correspondent pas à ces critères – c'est-à-dire la plupart d'entre nous – sont des « ringards », et nous cédons aux jugements de valeur que la société porte sur nous. En conséquence, une large tranche de la population est accablée par des sentiments d'infériorité, de dévalorisation, d'autocritique.

Celui qui cède au système a du mal à entrer en rapport avec Dieu. Naturellement, il reproche à Dieu de l'avoir mis dans cet état et il lui fait difficilement confiance.

– À cause de toi je ne suis qu'un minable joueur de clarinette et pas un avant-centre acclamé, se plaint-il. Si je t'ouvre d'autres parties de ma vie, qui sait, peut-être voudras-tu aussi que je sois nul dans ces domaines.

En cédant aux mauvais jugements que porte sur lui le système, il ne peut que s'attendre à être rejeté davantage. Il a gobé le mensonge et il finit par se rejeter lui-même. Ainsi, tout succès qui pourrait lui arriver ou toute félicitation qu'il pourrait recevoir seront remis en doute ou contestés sur la base de ce qu'il croit déjà à son propre sujet.

Se rebeller contre le système

Depuis les années soixante, cette partie de la société semble grandir. Ce sont les rebelles et les losers qui, lorsqu'ils sont rejetés, répondent :

– Je n'ai pas besoin de toi ou de ton amour.

Au fond d'eux-mêmes ils en sont affamés, mais ils refusent de reconnaître leur besoin. Ils accentuent souvent leur rébellion et leur mépris en s'habillant et se comportant d'une manière choquante pour la majorité de la population.

Le rebelle est caractérisé par la haine de lui-même et l'amertume. Il aurait voulu ne jamais être né. Il est irresponsable et indiscipliné. Il considère Dieu simplement comme un autre tyran, encore un qui essaie de le forcer à se couler dans un moule socialement acceptable. Il se rebelle contre Dieu de la même façon qu'il se rebelle contre tous les autres.

L'attitude et le comportement rebelles de cette personne ont tendance à l'isoler et à pousser son entourage à défendre le système qu'il rejette. Ainsi la réaction du rebelle face à ceux qui le rejettent produit encore plus de rejet.

Les mécanismes de défense sont sans défense

Il y a deux raisons pour lesquelles nous ne devrions jamais réagir de manière défensive à l'évaluation critique et négative que le monde fait de nous.

Premièrement, si nous avons tort, nous *n'avons pas* de défense. Si on nous critique pour avoir dit quelque chose qui ne convient pas ou pour avoir fait quelque chose de mal et que les critiques sont valables, toutes les réactions défensives de notre part sont au mieux des rationalisations et au pire des mensonges. Nous devons simplement réagir en disant :

– Tu as raison, j'avais tort.

Et ensuite, nous devons prendre les mesures nécessaires pour améliorer notre comportement ou notre personne.

Comprendre le rejet

Romains 15:7

Penser qu'on est rejeté ou ressentir un manque d'amour

↓

Être déterminé à plaire aux personnes importantes
pour gagner leur approbation

↓

Être rejeté encore davantage après avoir choisi
un de ces trois mécanismes de défense

↓	↓	↓
Vaincre le système*	**Céder au système***	**Se rebeller contre le système***
Celui qui suit ce modèle accepte le système tel qu'il est et apprend à lutter ou ruser pour s'élever au-dessus des autres et devenir «la personne importante»	Celui qui cède au système poursuit ses efforts pour plaire aux autres tout en croyant qu'il sera toujours rejeté et qu'il ne peut être aimé	Celui qui adopte ce modèle lutte contre le système et dit «je n'ai pas besoin de ton amour et je n'en veux pas» Se comporte ou s'habille souvent d'une manière provocante
Cette réaction entraîne finalement encore plus de rejet parce que la capacité de maintenir ses performances finit par baisser	Provoque encore plus de rejet car ceux qui se rejettent eux-mêmes sont encore moins acceptés	Entraîne encore plus de rejet parce qu'un rebelle pousse les autres à défendre encore plus le système qu'il rejette

Résultats émotionnels

Incapacité d'exprimer ses sentiments Isolation émotionnelle Perfectionnisme Inquiétude	Sentiments de ne pas avoir de valeur Sentiment d'infériorité Subjectivité Introspection Autocondamnation	Souhaite ne jamais être né Indiscipliné Irresponsable Haine de soi-même Amertume

Attitudes et réactions envers Dieu

Refuse de se soumettre à l'autorité de Dieu, connaît peu de communion réelle avec Dieu	Projette le comportement du père terrestre sur Dieu Incapable de faire confiance à Dieu	Considère Dieu comme un tyran et se rebelle contre lui

* Note: le «système» généralement adopté par l'école et la société en général est celui de la famille

Figure 12-A

Si on nous critique... et que les critiques sont valables, toutes les réactions défensives de notre part sont au mieux des rationalisations et au pire des mensonges.

Deuxièmement, si nous avons raison, nous n'avons pas *besoin* de défense. Pierre nous encourage à suivre les traces de Jésus qui « insulté, ne rendait pas l'insulte ; souffrant, ne faisait pas de menaces, mais s'en remettait à Celui qui juge justement » (1 Pi. 2 : 23). Si vous avez raison, vous n'avez pas besoin de vous défendre. Le Juste Juge qui vous connaît et qui sait ce que vous avez fait, vous disculpera.

Au début de mon ministère pastoral, j'étais responsable d'un certain nombre de volontaires qui s'occupaient des jeunes dans notre église, y compris d'une femme nommée Alice. Alice était une chrétienne remarquable. Malheureusement, bien que douée dans de nombreux domaines, elle n'avait pas les talents administratifs nécessaires pour le travail dont elle avait la charge. Puisque les choses n'allaient pas très bien, Alice devait se retourner contre quelqu'un. Hélas, ce fut moi qu'elle choisit.

– Je dois absolument te voir, fulmina-t-elle un jour.

Nous avons fixé un rendez-vous.

Quand nous nous sommes assis, elle a posé une feuille de papier sur la table.

– Neil, j'ai fait une liste de toutes tes qualités et une autre de tous tes défauts.

J'ai jeté un coup d'œil à sa feuille et j'ai vu deux colonnes. Un seul mot était écrit dans la colonne des qualités, mais la colonne des défauts descendait jusqu'au bas de la page et continuait de l'autre côté de la feuille. Elle a d'abord lu la qualité, puis elle a lu tous les défauts de sa liste.

Mon côté humain voulait réagir par la défensive à toutes ses accusations. Mais mon côté transformé par l'Esprit disait :

– N'ouvre surtout pas la bouche, Anderson.

Je suis donc resté silencieux et j'ai écouté attentivement jusqu'à ce qu'elle ait vidé toutes ses cartouches.

Finalement, j'ai dit :

– Alice, tu as dû avoir beaucoup de courage pour venir partager cette liste avec moi. À ton avis, que dois-je faire ?

Ma question la prit totalement au dépourvu et elle se mit à pleurer.

– Oh Neil, ce n'est pas ta faute, c'est la mienne !

Ce n'était pas tout à fait vrai non plus. Il y avait un grain de vérité dans toutes les critiques qu'elle m'avait lancées. Mais si j'avais essayé de me défendre sur un de ces points, Alice aurait été encore plus déterminée à me convaincre à quel point j'avais tort. En fin de compte, en m'ouvrant à ces critiques, j'ai ouvert la voie à une discussion sur ses frustrations dans le ministère. Deux semaines plus tard, elle démissionna de son poste et elle est maintenant tout à fait à l'aise en servant Dieu dans un ministère qui correspond à ses dons.

Si nous pouvons apprendre à ne pas être sur la défensive quand quelqu'un met à nu les défauts de notre caractère ou attaque nos performances, nous pouvons parfois retourner la situation et apporter de l'aide à l'autre. Nous ne sommes pas obligés de réagir au rejet en essayant de vaincre le système, en lui cédant ou en nous rebellant contre lui. Le système selon lequel le monde détermine la valeur d'une personne n'est pas ce qui détermine notre valeur. Paul a écrit : « Ainsi, comme vous avez reçu le Christ-Jésus, le Seigneur, marchez en lui ; soyez enracinés et fondés en lui, affermis dans la foi d'après les instructions qui vous ont été données, et abondez en actions de grâces » (Col. 2 : 6-7). Nos liens d'allégeance sont envers Christ notre Seigneur, et pas envers le monde.

Paul continue : « Prenez garde que personne ne fasse de vous sa proie par la philosophie et par une vaine tromperie selon la tradition des hommes, selon les principes élémentaires du monde, et non selon Christ » (v. 8). Les principes du monde ont beaucoup d'influence. Mais nous n'avons pas besoin de nous y soumettre parce que nous n'appartenons plus à ce monde. Nous sommes *dans* le monde mais nous ne sommes plus *du* monde (Jean 17 : 14-16). Nous sommes en Christ. Si nous sommes tentés de réagir par la défensive quand nous sommes rejetés, n'oublions pas de fixer notre attention sur les choses qui édifieront et fortifieront notre foi.

Quand nous sommes tentés de critiquer ou de rejeter les autres

Le rejet est une route à double sens : on peut le subir et on peut le provoquer. Nous avons parlé de la façon de réagir quand nous sommes rejetés dans le système que le monde nous impose. Examinons maintenant notre façon de réagir face à la tentation de lancer des critiques ou de rejeter quelqu'un.

Un jour, lorsque j'étais pasteur, j'ai reçu un appel désespéré auquel même un policier voudrait ne pas avoir à répondre :

– Pasteur, si vous ne venez pas tout de suite, disait le mari au téléphone, je vais tuer ma femme.

J'entendais en bruit de fond sa femme qui hurlait.

Quand je suis arrivé à leur maison, j'ai persuadé Frédéric et Suzanne de s'asseoir à table l'un en face de l'autre pour discuter de leurs problèmes en profondeur. Je me suis assis à l'autre bout de la table. Ils se sont ensuite renvoyés des insultes et des accusations pendant plusieurs minutes.

Finalement, je les ai interrompus.

– Pause ! Suzanne si tu préparais le café ? Frédéric, apporte-moi une feuille de papier et un crayon. Prenez tous les deux votre Bible.

Quand nous sommes revenus à table, j'ai esquissé un petit schéma (voir figure 12-B) et nous nous sommes tournés vers la Parole de Dieu.

J'ai demandé à Frédéric de lire Romains 14 : 4 : « Qui es-tu, toi qui juges un serviteur d'autrui ? S'il se tient debout, ou s'il tombe, cela regarde son maître. Mais il se tiendra debout, car le Seigneur a le pouvoir de le soutenir ».

– Ce verset parle du fait de juger le caractère d'une autre personne, ai-je ajouté. Devant Dieu, chacun de vous est responsable de son propre caractère.

Frédéric et Suzanne étaient d'accord.

J'ai ensuite demandé à Suzanne de lire Philippiens 2 : 3 (*Semeur*) : « Ne faites donc rien par esprit de rivalité, ou par un vain désir de vous mettre en avant ; au contraire, par humilité, considérez les autres comme plus importants que vous-mêmes ».

– Ce verset parle de besoins, ai-je continué. Devant Dieu, chacun de vous est responsable de répondre aux besoins de l'autre.

Le couple a encore acquiescé.

– Est-ce que vous vous rendez compte de ce que vous venez de faire pendant deux heures ? Au lieu d'assumer votre responsabilité envers votre propre caractère, vous avez démoli le caractère de votre partenaire. Au lieu de faire attention aux besoins de votre partenaire, vous êtes égoïstement absorbés par vos propres besoins. Pas étonnant que votre mariage ne marche pas. Vous avez transformé le plan A de Dieu en un plan B désastreux !

Avant que je parte ce jour-là, Frédéric et Suzanne se sont engagés dans la prière à réajuster leurs responsabilités en fonction de la Parole de Dieu.

Comment seraient nos familles et nos églises si nous pouvions tous assumer la responsabilité de notre caractère et si nous cherchions à répondre aux besoins de ceux avec lesquels nous vivons ? Ce serait le ciel sur la terre. Mais au lieu de nous consacrer à améliorer notre propre caractère et à tenir compte des besoins des autres, nous obéissons souvent aux incitations de Satan qui nous pousse à critiquer le caractère des autres et à égoïstement nous préoccuper de nos propres besoins. En suivant le modèle offert par Dieu, nous nous encouragerons l'un l'autre à grandir et à atteindre la maturité.

Gros plan sur nos responsabilités

Une autre tactique utilisée par Satan pour brouiller nos relations consiste à attirer notre attention sur nos droits plutôt que sur nos responsabilités. Par exemple, un mari pourrait rabrouer sa femme parce qu'il pense qu'il a le droit d'avoir une femme soumise. Une femme pourrait agacer son mari parce qu'elle s'attend à ce qu'il soit le chef spirituel de la famille. Les parents tourmentent leurs enfants parce qu'ils pensent avoir le droit d'exiger leur obéissance. Les membres d'une église locale protestent quand ils pensent que leurs droits ont été lésés par le pasteur, le conseil ou par d'autres membres.

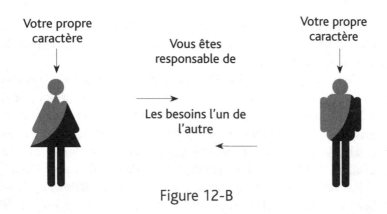

Figure 12-B

Dans le système de Dieu, ce sont nos responsabilités qui priment, et non nos droits. Maris, avoir une femme soumise ne relève pas de votre droit ; mais il est de votre responsabilité d'être un mari plein d'amour et d'attention. L'autorité n'est pas un droit à exiger, mais une responsabilité énorme à assumer.

De même, vous les femmes, avoir un mari spirituel n'est pas votre droit ; mais il est de votre responsabilité d'être une femme soumise et encourageante. Parents, ce n'est pas votre droit d'élever des enfants obéissants ; mais votre responsabilité est d'exercer la discipline pour conduire vos enfants dans la connaissance du Seigneur. Être membre du corps de Christ et d'une église locale est un privilège immense, et non un droit. Ce privilège s'accompagne d'une responsabilité impressionnante : se comporter comme des enfants de Dieu et s'engager à aimer. Quand nous nous tiendrons devant Christ, il ne nous demandera pas si nous avons reçu tout ce qui nous revenait. Il nous demandera si nous avons rempli nos engagements, et dans ce cas, il nous récompensera.

Ne jouons pas le rôle de la conscience

J'ai grandi dans un milieu sain et religieux, j'allais même à l'église, mais je n'étais pas chrétien. À cette époque, j'aimais beaucoup boire de la bière, surtout en été après avoir tondu le gazon. Quand j'ai accepté Christ dans ma jeunesse, je me suis engagé dans une église qui prônait l'abstinence totale de toute boisson alcoolisée. Je n'étais pas alcoolique, j'ai donc décidé d'ignorer cette règle et de garder mon habitude de boire de la bière.

Deux années plus tard, le Seigneur a attiré mon attention sur cette habitude. La persuasion de l'Esprit était accompagnée par la volonté d'obéir. J'ai donc arrêté de boire de la bière. Malheureusement, je venais d'en acheter quatre packs en promotion. Quelques semaines plus tard, je suis parti à la faculté et j'ai tout donné aux amis qui m'avaient aidé à déménager, les laissant se débrouiller avec Dieu !

Parfois, nous avons tendance à jouer le rôle du Saint-Esprit ou de la conscience dans la vie des autres pour des sujets sur lesquels la Bible reste silencieuse : « Les chrétiens ne boivent pas et ne fument pas » ; « Un chrétien doit consacrer au moins 30 minutes par jour à la prière et à l'étude biblique » ; « L'achat de billets de loterie est une mauvaise gestion de l'argent que Dieu nous donne ». Je suis convaincu que le Saint-Esprit sait pertinemment quand il doit mettre le doigt sur un problème de conscience. Cela fait partie du travail de sanctification qu'il supervise. Quand nous tentons de jouer ce rôle, nous ne faisons généralement que communiquer des critiques et un sentiment de rejet. Notre travail consiste à entourer les autres en les acceptant et à laisser le Saint-Esprit faire son travail en son temps.

La discipline, oui, le jugement, non

N'y a-t-il pas des occasions où les chrétiens doivent intervenir et prendre position pour des questions de comportement ? Oui. Dieu exige que nous allions trouver ceux qui ont clairement enfreint les limites fixées par la Bible, pour les rétablir. Jésus a enseigné : « Si ton frère s'est rendu coupable [à ton égard], va le trouver et convaincs-le de sa faute : mais que cela se passe en tête-à-tête. S'il t'écoute, tu auras gagné ton frère. S'il ne t'écoute pas, reviens le voir en prenant avec toi une ou deux autres personnes, pour *que tout ce qui sera dit soit appuyé sur les déclarations de deux ou de trois témoins* » (Matt. 18 : 15-16).

Mais laissez-moi attirer votre attention sur une distinction importante dans ce domaine : la discipline s'applique à un comportement observé – dont nous sommes personnellement le témoin

(Gal. 6 : 1), alors qu'un jugement est porté sur la personne. Il nous est demandé d'intervenir quand un péché est remarqué chez quelqu'un, mais il ne nous est pas permis de le juger (Matt. 7 : 1 ; Rom. 14 : 13). Notre travail consiste à exercer la discipline quand un mauvais comportement est observé, mais juger le caractère reste du ressort de Dieu.

Par exemple, imaginons que vous venez de surprendre votre enfant en flagrant délit de mensonge. «Tu es un menteur», lui dites-vous : vous jugez son caractère. Mais si vous dites : «Fiston, tu viens de mentir», vous exercez la discipline. Vous lui demandez de rendre compte de ses actes.

Ou supposons qu'un ami chrétien vous confie qu'il a triché sur sa déclaration d'impôts. Si vous l'appelez un voleur, vous jugez son caractère ; or, telle n'est pas votre responsabilité. Vous ne pouvez lui parler que de ce que vous avez vu :

– En trichant sur ta déclaration d'impôts, tu voles l'argent qui revient au gouvernement et ce n'est pas juste.

Quand nous exerçons la discipline, notre action doit être basée sur ce que nous avons vu ou entendu personnellement, et pas sur ce que nous soupçonnons ou ce que nous avons entendu par le bouche-à-oreille. Si nous allons trouver l'offenseur et qu'il ne répond pas favorablement, la prochaine fois nous y allons avec deux ou trois témoins, pas des témoins de notre conflit mais des témoins de son péché. Si nous sommes le seul témoin oculaire, nous irons le trouver et cela s'arrêtera là. À l'avenir, chaque fois qu'il nous verra, Dieu lui rappellera son péché. Avec le temps, soit il se mettra en règle, soit il s'éloignera.

Une grande partie de ce que nous appelons la discipline n'est en fait que de l'assassinat. Nous disons à notre enfant désobéissant :

– Quel enfant stupide !
– Méchant garçon !
– Tu ne vaux rien !

Nous disons à nos frères et sœurs chrétiens qui flanchent :

– Tu n'es pas un bon chrétien !
– Tu es un voleur !
– Tu n'es qu'un coureur de jupons !

De telles affirmations ne corrigent pas plus qu'elles n'édifient ; elles détruisent la personne et communiquent la désapprobation à l'égard de la personne aussi bien que de son problème. Votre enfant n'est pas un menteur ; c'est un enfant de Dieu qui a dit un mensonge. Votre ami chrétien n'est pas un voleur ; c'est un enfant de Dieu qui a commis un vol. Le croyant qui est surpris dans une situation morale compromettante n'est pas un pervers ; c'est un enfant de Dieu qui a eu un mauvais comportement, mais il ne nous est jamais permis de dénigrer sa personne.

Exprimons nos besoins sans juger

Si nous avons des besoins légitimes dans une relation, et si ces besoins ne sont pas satisfaits, devrions-nous les exprimer tout en sachant que nous risquons de communiquer des critiques et provoquer le rejet ? Oui, mais exprimons-les de telle manière que nous n'attaquons pas le caractère de l'autre personne. Souvent, lorsque nous ressentons un manque d'amour dans une relation, nous disons :

– Tu ne m'aimes plus.

Quand nous pensons que notre conjoint ne nous valorise pas, nous avons tendance à dire :

– Tu me rabaisses tout le temps.

Ou quand nous sentons une distance s'installer entre nous et un ami, nous lui déclarons :

– Tu ne me téléphones jamais.

Nous avons certes exprimé notre besoin, mais nous avons aussi envoyé un coup-de-poing dans la figure de l'autre par la même occasion. Nous prenons la place de sa conscience. Et quand nous faisons de notre besoin le problème de l'autre, il réagira probablement sur la défensive et la relation sera encore plus tendue.

Mais si nous exprimons nos besoins de la façon qui suit, nous le faisons sans accuser personne :

– Je ne me sens plus aimée.

– J'ai l'impression d'être nul, d'être tout à fait insignifiant.

– J'aimerais rester en contact avec toi.

Il suffit pour cela de changer l'accusation du « tu » en message qui commence par « je ». Cette approche sans aucun jugement perme à Dieu de toucher la conscience de l'autre et transforme un conflit potentiel en occasion de ministère. L'autre personne est libre de répondre à notre besoin sans devoir se défendre contre une attaque.

Nous ressentons tous les besoins humains d'être aimé, d'être accepté et de nous sentir valorisé. Quand nous ne trouvons pas de réponse à ces besoins, il est très important que nous les exprimions aux membres de notre famille et à nos frères et sœurs chrétiens d'une manière positive qui permettra aux autres de répondre à ces besoins. Je crois qu'à la base de toute tentation se trouve un besoin légitime qui n'est pas satisfait. Quand nous sommes trop orgueilleux pour dire :

– Je ne me sens pas aimé.

Ou quand nous repoussons les autres en disant :

– Tu ne m'aimes plus.

Notre besoin d'amour n'est pas satisfait. C'est alors qu'arrive Satan avec une proposition tentante :

– Ta femme ne t'aime pas comme tu le mérites. Mais est-ce que tu as remarqué l'étincelle dans l'œil de ta secrétaire quand elle te regarde ?

L'outil principal que Dieu utilise pour répondre à nos besoins et pour nous garder dans la pureté, ce sont les autres croyants. Le problème, c'est que la plupart des gens vont à l'église, à l'étude biblique, à la réunion de prière, en portant un masque de «petit saint». En voulant donner l'impression d'être forts et maîtres de la situation, ils se privent de l'occasion de voir leurs besoins satisfaits dans la sécurité et la chaleur de la communauté chrétienne. Par la même occasion, ils privent la communauté de l'occasion de répondre à leurs besoins – ce qui est pourtant une des raisons principales pour lesquelles Dieu nous a rassemblés dans des églises. En refusant à la communauté des croyants le privilège de répondre à nos besoins légitimes, nous nous écartons de Dieu et nous sommes plus vulnérables à la tentation de laisser le monde, la chair et Satan répondre à nos besoins.

Un pasteur a un jour plaisanté :

– Le pastorat serait un travail formidable s'il n'y avait pas les gens.

Peut-être pourrions-nous dire quelque chose de semblable :
– La croissance en Christ serait facile s'il n'y avait pas les autres.

Nous savons tous que la marche avec Christ implique à la fois la dimension horizontale et la dimension verticale : aimer Dieu et aimer les autres. Il est important de savoir que Dieu agit dans notre vie par notre engagement dans nos relations. Y a-t-il un meilleur endroit pour apprendre la patience, la gentillesse, le pardon, l'esprit d'équipe… que dans la proximité d'une relation de travail ? Nous aurons beaucoup de mal à approfondir nos relations si nous n'acceptons pas notre responsabilité de grandir et d'aimer les autres. Mais nous *pouvons* prendre cet engagement. Personne ne détermine qui nous sommes si ce n'est nous-mêmes, Dieu et la façon dont nous lui répondons.

Un de mes étudiants m'a apporté le poème suivant. Je pense qu'il donne un point de vue qui peut être utile dans nos relations parfois tendues entre chrétiens :

Les gens sont irraisonnables, illogiques et égocentriques.
> *Aime-les malgré tout.*

Si tu fais le bien, les gens t'accuseront d'avoir des arrière-pensées égoïstes.
> *Fais le bien malgré tout.*

Si tu as du succès, tu te feras de faux amis et de vrais ennemis.
> *Aie du succès malgré tout.*

Le bien que tu fais aujourd'hui sera oublié demain.
> *Fais le bien malgré tout.*

L'honnêteté et la franchise te rendent vulnérable.
> *Sois honnête et franc malgré tout.*

Les gens les plus grands avec les plus grandes idées peuvent être renversés par les gens les plus petits avec les plus petits esprits.
> *Vois grand malgré tout.*

Les gens préfèrent les opprimés, mais suivent toujours les oppresseurs.
> *Bats-toi pour les opprimés malgré tout.*

Ce que tu passes des années à construire peut être détruit en un instant.

Construis malgré tout.

Les gens ont vraiment besoin d'aide, mais pourraient t'attaquer si tu les aides.

Aide les gens malgré tout.

Donne au monde le meilleur de ce que tu as et tu en prendras plein les gencives.

Donne le meilleur de ce que tu as malgré tout [5].

N'importe qui peut trouver des défauts dans la personnalité des autres chrétiens et des failles dans leur comportement. Mais il fallait la grâce de Dieu pour regarder au-delà de Pierre, l'impulsif, et voir en lui le roc de l'église de Jérusalem. Il fallait la grâce de Dieu pour voir au-delà de Saul, le persécuteur, et voir en lui Paul, l'apôtre. Alors que nous vivons au jour le jour avec des gens dont le comportement est loin d'être saint – et qui nous voient de la même façon –, je dirais simplement: «Que la grâce et la paix vous soient multipliées» (2 Pi. 1:2).

Auteur et source inconnus.

CHAPITRE 13

Nous grandissons mieux ensemble

Chaque année, en janvier, j'ai le privilège d'emmener 24 étudiants de la faculté au Centre Julian près de San Diego, en Californie. Ce centre a été fondé par mon ami Dick Day dans le but de former des chrétiens dans un contexte relationnel.

Pour introduire la dimension personnelle de cette retraite, les étudiants sont séparés en groupes de trois pour faire simplement connaissance. Pour clôturer cet exercice, les étudiants doivent identifier une émotion qu'ils ont ressentie et les réponses typiques sont : « content », « accepté », « en paix », « curieux », etc., certains admettent parfois qu'ils ont été un peu nerveux.

Mais un jeune homme appelé Daniel m'a surpris un jour en répondant : « ennuyé ». Daniel était venu pour apprendre, pas pour fraterniser. Il voulait du contenu, pas de la communion. Il considérait mes efforts pour établir une relation entre les étudiants comme une perte de temps. Jour après jour, les autres étudiants sont devenus de plus en plus proches, mais Daniel restait froid et distant.

Après deux semaines, sa résistance a finalement cédé. Il a commencé à comprendre qu'une communauté de personnes qui se connaissent et s'acceptent constituait le contexte le plus favorable à la croissance et à la maturité spirituelles. Et quand Daniel s'est finalement ouvert aux autres étudiants, il a pu réellement retirer quelque chose de la session.

Suite à ce mois passé au Centre Julian, Daniel est retourné avec une nouvelle optique vers le groupe d'hommes d'affaire qu'il dirigeait.

– Mes amis, leur dit-il, nous nous rencontrons depuis plus d'un an, mais je ne sais pas ce qui vous stimule, ce qui vous intéresse ou à quoi ressemble votre vie de famille. Et vous n'en savez pas plus à mon sujet. J'aimerais que nous allions au-delà d'un simple partage d'information pour commencer à partager nos vies.

Daniel avait compris le secret de Paul pour la formation de disciples : « Nous aurions voulu, dans notre tendresse pour vous, vous donner non seulement l'Évangile de Dieu, mais encore nos propres vies, tant vous nous étiez devenus chers » (1 Thes. 2 : 8).

Les relations : le moteur de la maturité et de la croissance

Les questions que l'on me pose sur mon ministère dans la formation de disciples sont le plus souvent en rapport avec le matériel ou le programme utilisé. Et, à chaque fois, je réponds que si le matériel n'est pas principalement la Bible et que le programme n'est pas basé sur les relations, alors il ne s'agit plus de formation de disciples.

Le matériel en lui-même n'est pas le problème. Les études bibliques basées sur la Bible foisonnent. Mais le chaînon manquant dans la formation, c'est généralement la relation personnelle. Nous avons tendance à rapidement mettre un livre entre les mains de quelqu'un et à dire :

– Voilà, ceci te montrera ce que tu dois *faire* pour grandir en Christ.

Mais nous sommes lents à nous engager envers quelqu'un et à dire :

– Partageons ensemble ce que Christ fait dans notre vie et aidons-nous l'un l'autre à grandir en lui.

La formation de disciples est une activité intensément personnelle entre deux ou plusieurs personnes qui s'aident l'une l'autre à grandir dans leur relation avec Dieu. L'appel principal que Jésus a adressé à ses disciples se retrouve dans ses mots : « Venez à moi » (Matt. 11 : 28) et « Suivez-moi » (Matt. 4 : 19). Marc raconte : « Il en établit douze pour les avoir avec lui et pour les envoyer prêcher avec le pouvoir de chasser les démons » (Marc 3 : 14-15). Notez que la relation de Jésus avec ses disciples a précédé la mission qu'il leur a confiée. La formation du disciple est une relation avant d'être une action ou une mission.

Chaque chrétien, et nous aussi, est à la fois un disciple et un maître dans le contexte de ses relations chrétiennes. Nous avons l'énorme privilège et la responsabilité d'être à la fois un élève et un professeur de la vie en Christ, de la marche par l'Esprit et par la foi. Nous avons peut-être un rôle dans notre famille, à l'église et dans la communauté des croyants, qui nous donne une responsabilité précise dans la formation de disciples, tel que mari/père, pasteur, moniteur d'école du dimanche, responsable de groupe de maison, etc. Mais même avec ce rôle « officiel » nous n'en restons pas moins un disciple qui grandit et apprend en Christ par nos relations. Inversement, même si nous n'avons pas de responsabilité désignée, nous sommes malgré tout chargés de la formation des autres. Nous avons l'occasion d'aider nos enfants, nos amis et d'autres croyants à grandir en Christ par nos relations profondes avec eux dans l'amour.

De même, chaque chrétien est à la fois un conseiller et un « conseillé » dans le contexte de ses relations chrétiennes. Souvenez-vous de la différence entre la formation de disciples et la relation d'aide : la formation de disciples regarde vers l'avenir pour provoquer la croissance et la maturité chrétiennes ; la relation d'aide, quant à elle, regarde en arrière pour corriger les problèmes et renforcer les zones de faiblesse. Votre rôle ou votre niveau de maturité pourraient vous mettre dans la position de devoir souvent conseiller les autres, mais il y aura toujours des moments où vous devrez rechercher ou recevoir le conseil d'autres chrétiens. En revanche, si vous êtes un jeune chrétien ou si vous avez un passé lourd de problèmes, vous recevez souvent beaucoup d'aide, mais vous devez malgré tout saisir les occasions que Dieu vous donne d'offrir un conseil utile aux autres croyants autour de vous.

Ce dernier chapitre a pour but de vous équiper pour ces ministères de formation de disciples et de relation d'aide que nous partageons tous dans la communauté chrétienne. Que vous soyez un « professionnel » dans ces domaines ou « simplement » un chrétien qui s'est engagé à aider les autres à grandir dans leur maturité et leur liberté en Christ, les lignes directrices suivantes vous donneront des indications pratiques pour votre ministère d'amour.

Les niveaux de la formation de disciples

Je vois trois niveaux dans le ministère de formation de disciples que Paul suggère dans Colossiens 2 : 6-10. Les différents niveaux sont résumés dans la figure 13-A.

Le niveau 1 s'applique aux principes fondamentaux : nous aidons les personnes à comprendre et à accepter leur *identité* en Christ. Paul affirme que cette identité nous est déjà acquise en Christ : « Et vous avez tout pleinement en lui » (2 : 10).

Le niveau 2 concerne l'idée de *maturité* en Christ, à laquelle Paul fait allusion lorsqu'il dit que nous sommes « fondés en lui » (v. 7).

Le niveau 3 reflète notre *marche* quotidienne en Christ, qui est basée sur notre identité et notre maturité. Paul nous instruit : « Ainsi, comme vous avez reçu le Christ-Jésus, le Seigneur, marchez en lui » (v. 6).

La réussite à chaque niveau dépend du niveau précédent. Un chrétien ne peut avoir une marche efficace (niveau 3) s'il ne grandit pas en maturité (niveau 2) : et il ne peut pas atteindre la maturité s'il ne comprend pas d'abord son identité en Christ (niveau 1).

Notez également qu'il y a cinq domaines d'application pour chaque niveau : spirituel, rationnel, émotionnel, volitif et relationnel. Chaque zone d'application comporte un moment de crise et la possibilité de franchir une étape de croissance. Le moment de crise se produit lorsque le péché, le monde, la chair et le diable veulent perturber le cheminement du disciple. Car, ne l'oubliez pas, Satan s'est engagé à tromper, frustrer et perturber le croyant dans la découverte de son identité et de sa marche en Christ. Le moment de crise fait apparaître un aspect de l'œuvre de Satan qui doit être résolu et remplacé par une étape concrète de croissance.

Notez bien que les Écritures ne délimitent pas précisément ces trois niveaux dans la formation du disciple ni les cinq domaines d'application comme le sous-entend le tableau. Mais ce schéma a simplement pour but de souligner les problèmes précis et fondamentaux qui doivent être résolus pour que les croyants puissent grandir – et s'aider l'un l'autre à grandir – et être des serviteurs de Dieu confiants et efficaces.

Niveau 1 – *L'identité*

Le moment de crise spirituelle à ce niveau se produit lorsqu'un individu se rend compte qu'il n'est pas sauvé (s'il n'est *pas* né de nouveau) ou qu'il n'a pas l'assurance de son salut (s'il *est* né de nouveau). Il ne nous appartient pas de donner l'assurance du salut, c'est Dieu qui la donne (Rom. 8 : 16 ; 1 Jean 5 : 13). Notre rôle à cette étape de la croissance consiste à diriger les personnes vers les Écritures qui montrent leur identité spirituelle et leurs privilèges en tant qu'enfants de Dieu.

Du point de vue rationnel, chacun entre dans le royaume de Dieu sans avoir une vraie connaissance de Dieu. Il faut néanmoins une certaine connaissance pour croire en Dieu et devenir ce qu'il veut que nous soyons (Osée 4 : 6). À moins de renouveler notre intelligence et développer une base solide pour notre foi, nous tenterons toujours de satisfaire nos besoins fondamentaux d'une mauvaise manière : c'est-à-dire indépendamment de Dieu.

Le conflit émotionnel à cette étape se situe au niveau de la peur. La peur pousse l'homme à faire ce qu'il ne devrait pas faire et l'empêche de faire ce qu'il devrait faire. Quand nous sommes motivés par la peur de quelqu'un ou de quelque chose d'autre que Dieu, nous ne sommes pas libres, bien que la liberté soit notre héritage en Christ. Satan nous lie par la peur, mais la crainte de Dieu chasse toutes les autres peurs (Prov. 1 : 7). La découverte de la liberté en Christ est le sujet de mon deuxième livre *Le libérateur*.

Du point de vue de la volonté, l'homme a appris à vivre dans la rébellion volontaire et dans l'indépendance vis-à-vis de Dieu.

La formation de disciples
Niveaux de conflits et de croissance

	Niveau 1	Niveau 2	Niveau 3
	L'identité « Tout pleinement en Christ » (Col. 2 : 10)	La maturité « Fondés en Christ » (Col. 2 : 7)	La marche « Marchez en Christ » (Col. 2 : 6)
Spirituel	*Conflit :* Sans salut ou assurance du salut (Éph. 2 : 1-3)	*Conflit :* Marchant selon la chair (Gal. 5 : 19-21)	*Conflit :* Insensible à la direction de l'Esprit (Héb. 5 : 11-14)
	Croissance : Enfant de Dieu (1 Jean 3 : 1-3 ; 5 : 11-13)	*Croissance :* Marchant selon l'Esprit (Gal. 5 : 22-23)	*Croissance :* Conduit par l'Esprit (Rom. 8 : 14)
Rationnel	*Conflit :* La pensée obscurcie (Éph. 4 : 18)	*Conflit :* Croyances erronées issues de la philosophie de la vie (Col. 2 : 8)	*Conflit :* L'orgueil (1 Cor. 8 : 1)
	Croissance : Intelligence renouvelée (Rom. 12 : 2, Éph. 4 : 23)	*Croissance :* Une bonne utilisation de la Parole de vérité (2 Tim. 2 : 15)	*Croissance :* Adapté et équipé pour toute bonne œuvre (2 Tim. 3 : 16-17)

	Niveau 1	Niveau 2	Niveau 3
Émotionnel	*Conflit :* La peur (Matt. 10 : 26-33)	*Conflit :* La colère (Éph. 4 : 31), l'anxiété (1 Pi. 5 : 7), la dépression (2 Cor. 4 : 1-18)	*Conflit :* Le découragement et la tristesse (Gal. 6 : 9)
	Croissance : La liberté (Gal. 5 : 1)	*Croissance :* La joie, la paix, la patience (Gal. 5 : 22)	*Croissance :* La satisfaction (Phil. 4 : 11)
Volitif	*Conflit :* La rébellion (1 Tim. 1 : 9)	*Conflit :* Absence de maîtrise de soi, conduite compulsive (1 Cor. 3 : 1-3)	*Conflit :* Indiscipliné (2 Thes. 3 : 7, 11)
	Croissance : La soumission (Rom. 13 : 1-2)	*Croissance :* La maîtrise de soi (Gal. 5 : 23)	*Croissance :* Discipliné (1 Tim. 4 : 7-8)
Relationnel	*Conflit :* Le rejet (Éph. 2 : 1-3)	*Conflit :* Le refus de pardonner (Col. 3 : 13)	*Conflit :* L'égoïsme (Phil. 2 : 1-5 ; 1 Cor. 10 : 24)
	Croissance : L'accueil (Rom. 5 : 8 ; 15 : 7)	*Croissance :* Le pardon (Éph. 4 : 32)	*Croissance :* L'amour fraternel (Rom. 12 : 10 ; Phil. 2 : 1-5)

Figure 13-A

Il a l'habitude soit de se préoccuper de lui-même soit de vivre dans la dépendance d'un parent, d'un conjoint, d'une autre personne ou d'une institution. Il s'érige souvent en juge de ceux qui ont autorité sur lui. La croissance à ce niveau nécessite la compréhension et la mise en pratique de la soumission à Dieu, notre Père plein d'amour, et aux autres, telle que la Bible la présente.

En ce qui concerne l'aspect relationnel, nous savons que pour être accepté dans ce monde, la plupart des critères dépendent exclusivement des performances de l'individu. Pour cette raison, un très grand nombre de personnes ont été rejetées dès leur enfance. Pourtant le royaume de Dieu est basé sur l'amour inconditionnel de Dieu qui nous accepte tels que nous sommes (Tite 3 : 5). Ainsi, les relations doivent avoir une nouvelle base : il ne s'agit plus de donner aux autres ce qu'ils méritent – exercer un jugement – mais ce dont ils ont besoin – exercer la miséricorde. Mon ami Dick Day souligne le fait que nous ne pouvons pas édifier les autres en imposant une autorité et en exigeant une prise de responsabilités. Mais nous devons commencer par accepter l'autre en renforçant notre accueil par l'encouragement. Quand quelqu'un se sent accepté et encouragé, il se soumet volontairement à l'autorité.

Le premier but de la formation de disciples est donc d'établir leur identité en Christ. C'est-à-dire :

- Conduire des individus à Christ et leur montrer l'assurance du salut que présentent les Écritures ;
- Les guider vers une juste connaissance de Dieu et de leur identité en Christ, les entraîner sur le chemin de la connaissance des voies de Dieu ;
- Changer leur motivation profonde qui est la peur des autres et des circonstances pour qu'elle devienne la crainte de Dieu ;
- Les aider à voir dans quelle mesure ils se prennent encore pour de petits dieux ou se rebellent contre l'autorité de Dieu ;
- Renverser les murs qu'ils ont construits pour se protéger du rejet en les acceptant et en les encourageant.

La marche du disciple nécessite une discipline mentale.
Ceux qui ne se sentent pas responsables de leurs
pensées ne peuvent pas grandir.

Niveau 2 – *La maturité*

Le fait d'édifier les autres en Christ s'appelle aussi la sanctification. Elle commence, dans sa dimension spirituelle, lorsque nous aidons les autres à distinguer la marche selon la chair de la marche selon l'Esprit. Plus ils choisissent de marcher selon la chair, plus ils restent immatures. Plus ils choisissent de marcher selon l'Esprit, plus vite ils atteindront la maturité. À la base de ce principe, il est essentiel que le croyant comprenne que les circonstances externes ne déterminent pas qui il est, comment il marche ou ce qu'il devient. Seul Dieu et la façon dont chaque individu lui répond sont déterminants.

Sur le plan rationnel, quand les chrétiens tombent dans le piège des mensonges ou des philosophies de Satan, ils ne peuvent plus grandir (Col. 2 : 8). Le combat se situe au niveau de nos pensées et nous devons apprendre à dévoiler les stratégies de Satan et rendre toute pensée prisonnière (2 Cor. 10 : 5). La marche du disciple nécessite une discipline mentale. Ceux qui ne se sentent pas responsables de leurs pensées ne peuvent pas grandir.

Sur le plan émotionnel, les sentiments sont le produit de nos pensées. Nous nous élaborons tous un système de pensées basé sur ce que nous croyons pouvoir nous apporter la réussite, la valeur, le bonheur, etc. Si ce système est erroné, nous serons la victime d'émotions négatives. La colère, l'anxiété et la dépression sont généralement le résultat d'un système de pensées erroné. La santé émotionnelle et mentale dépend essentiellement d'une juste connaissance de Dieu, du respect de ses voies et de l'assurance de son pardon.

Au niveau de la volonté, les chrétiens doivent exercer le fruit spirituel de la maîtrise de soi, au lieu de céder aux impulsions de la chair.

Dans les relations, le pardon est la clé de la maturité. C'est le ciment qui unit les familles et les églises. Satan utilise le refus de pardonner plus que toute autre faiblesse humaine pour freiner la croissance des individus et des ministères. Celui qui ne pardonne pas est lié au passé ou à une autre personne et n'est pas libre d'aller de l'avant en Christ.

Le deuxième but de la formation de disciples est d'amener le chrétien à accepter l'objectif de Dieu pour lui, qui est la sanctification et la croissance à l'image de Christ. Ceci comprend :

- Aider les autres à marcher par l'Esprit et par la foi ;
- Les guider pour qu'ils soient disciplinés dans leurs pensées pour croire la vérité ;
- Les aider à stabiliser leurs émotions en canalisant leurs pensées vers Dieu plutôt que vers les circonstances ;
- Les encourager à développer la maîtrise de soi ;
- Les stimuler à résoudre leurs problèmes personnels en pardonnant et en demandant pardon.

Niveau 3 – *La marche*

Tant de chrétiens veulent commencer leur parcours de disciple à ce niveau plutôt qu'aux niveaux I et II. Ils se demandent :

– Que dois-je *faire* pour grandir en tant que chrétien ?

Alors qu'ils devraient se demander :

– Que dois-je *être* ?

Un des plus grands défauts des églises est de s'attendre à ce que les gens se comportent comme des chrétiens (niveau 3) avant d'en avoir atteint la maturité (niveaux 1 et 2). Nous exigeons des chrétiens un comportement qui ne correspond pas à leur perception de leur identité et à leur niveau de maturité, et c'est une tâche impossible. Toutefois, alors que les croyants affirment leur identité en Christ et grandissent en maturité, nous pouvons les former davantage en les encourageant à adopter dans leur quotidien un comportement qui tend systématiquement à ressembler à celui de Christ.

Les gens spirituellement mûrs sont ceux dont les facultés sont exercées à distinguer le bien du mal (Héb. 5 : 14). Généralement, le discernement est un principe très mal compris. Le vrai discernement biblique n'est pas seulement une fonction de la pensée ; c'est aussi une fonction de l'Esprit. Par son Esprit, Dieu aide le croyant spirituellement mûr à trouver le bien et l'avertit quand il rencontre le mal. Le discernement spirituel est la première ligne de défense dans le combat spirituel.

L'orgueil qui apparaît souvent lorsque la connaissance augmente, peut parfois devenir un danger dans le domaine rationnel. Mais le croyant ne connaîtra jamais suffisamment de choses au sujet de Dieu et de ses voies pour en arriver à ne plus avoir besoin de lui. Si les chrétiens commencent à se confier en leur propre intelligence, ils cessent de reconnaître leur besoin de Dieu. Un élève honnête de la Parole de Dieu doit admettre que plus il apprend à connaître Dieu, plus il doit dépendre de lui.

Sur le plan émotionnel, le croyant mature apprend à être satisfait dans toutes les circonstances (Phil. 4 : 11). Cette vie apporte de nombreux découragements, et nombreux sont les désirs du croyant qui resteront insatisfaits. Mais tous ses objectifs seront atteints si ce sont des objectifs selon Dieu. Au sein des épreuves de la vie, les chrétiens ont besoin d'encouragement. Encourager, c'est donner aux autres le courage de continuer. Si nous voulons former des disciples, nous devons les encourager.

Quelqu'un a dit qu'une vie chrétienne réussie dépend de la volonté. Une personne indisciplinée est incapable de vivre une vie productive. Mais une personne disciplinée est une personne qui est remplie de l'Esprit, qui n'a aucun conflit irrésolu et qui cherche à satisfaire ses besoins en Christ.

Dans le domaine rationnel, le croyant mature ne vit plus pour lui-même, mais pour les autres. Le plus grand test de la maturité d'un croyant se trouve probablement dans l'appel qui nous est fait lorsqu'il est dit : « Par amour fraternel, ayez de l'affection les uns pour les autres » (Rom. 12 : 10). Car après tout, le monde ne reconnaîtra pas que nous sommes de vrais chrétiens par notre théologie, par nos diplômes, par notre apparence externe ou par nos bâtiments, mais par notre amour.

En résumé, le troisième but de la formation de disciples est d'aider les croyants à agir comme des croyants dans leur foyer, à leur travail et dans la société. Une marche chrétienne efficace comprend une bonne utilisation de nos dons spirituels, de nos talents et de notre intelligence pour servir les autres et être un témoignage positif dans le monde. Ces objectifs de comportement ne seront valables que lorsqu'un individu accepte son identité et acquiert la maturité en Christ.

Il me semble que la plupart des prédications sont dirigées vers le niveau 3, et elles essaient de provoquer un changement de comportement chez les auditeurs. Mais la plupart des chrétiens sont coincés au niveau 1, enchaînés par le passé, immobilisés par la peur et isolés par le rejet. Ils n'ont aucune notion de qui ils sont en Christ, ils n'ont donc aucun moyen de réussir dans la marche chrétienne. Au lieu de continuellement dire aux jeunes chrétiens ce qu'ils devraient *faire*, réjouissons-nous avec eux de ce Christ a *déjà fait* et aidons-les à devenir ce qu'ils sont déjà en Christ.

Principes pour la relation d'aide

À la faculté de théologie, je demande parfois aux étudiants de décrire, par écrit, le problème personnel qu'ils auraient le plus de mal à partager avec une autre personne. Quand je sens que le niveau d'anxiété chez chaque étudiant a atteint son sommet, je leur dis d'arrêter. Ils sont soulagés d'apprendre que je ne leur demande pas de partager avec d'autres ce qu'ils ont écrit. Je veux simplement qu'ils connaissent la peur de devoir dévoiler des informations dangereuses ou gênantes à leur propre sujet.

Je leur demande alors de décrire le genre de personne avec qui ils se sentiraient à l'aise pour partager l'information qu'ils ont écrite : ses qualités, ses caractéristiques. Après qu'ils ont réfléchi à ce sujet pendant quelque temps, je leur pose la question clé :

– Seriez-vous prêts à vous engager à devenir ce genre de personne ?

Permettez-moi de vous poser la même question : Seriez-vous prêt à vous engager à devenir le genre de personne en qui l'on peut se confier ? C'est là le rôle du conseiller : être une personne avec laquelle les autres se sentent à l'aise pour partager les problèmes de leur présent et de leur passé. La relation d'aide chrétienne ne nécessite pas un diplôme universitaire, bien que ceux qui la pratiquent d'une manière professionnelle pourraient largement bénéficier d'une formation basée sur la Bible. Que nous soyons assis sur l'estrade ou sur un banc à l'église, que nous soyons assis à un bureau dans un centre de relation d'aide ou à la table d'une salle à manger, Dieu peut nous utiliser pour aider ceux qui ont des problèmes si nous sommes prêt à être des confidents plein de compassion et à l'écoute.

La relation d'aide cherche à conduire des personnes à accepter le présent en réglant les conflits du passé. Ces conflits résultent souvent d'esclavages qui sont des emprises érigées dans la pensée à l'instigation de Satan. Les gens ne peuvent pas grandir et atteindre la maturité parce qu'ils ne sont pas libres. Le but de la relation d'aide – qu'elle soit faite par un pasteur, un psychothérapeute professionnel ou un ami – est d'aider les gens à connaître la liberté en Christ pour qu'ils puissent progresser vers la maturité et porter du fruit dans leur marche avec lui.

La liberté en Christ est le sujet du deuxième livre de cette série, *Le libérateur* ; je vous recommande sa lecture pour votre étude personnelle ou pour aider ceux que vous rencontrez. Entre-temps, permettez-moi de vous donner cinq conseils pratiques pour la relation d'aide que vous pouvez apporter, de manière professionnelle ou non.

Aidez à identifier les racines du problème

Le psaume 1 (v. 1-3) compare le chrétien mûr à un arbre qui porte du fruit (voir figure 13-B). La productivité des branches est le résultat de la fertilité du sol et de la santé des racines qui s'y étendent. Idéalement, le croyant est planté dans le sol fertile de son identité en Christ (niveau 1), il étend les racines de la maturité (niveau 2) et il est florissant dans sa marche en Christ (niveau 3).

Les gens recherchent généralement une relation d'aide parce que quelque chose ne va pas dans leur marche quotidienne. Au lieu de porter du fruit, leur vie est stérile. Comme pour un arbre, la plupart du temps, le problème en surface n'est qu'un symptôme d'un problème plus profond.

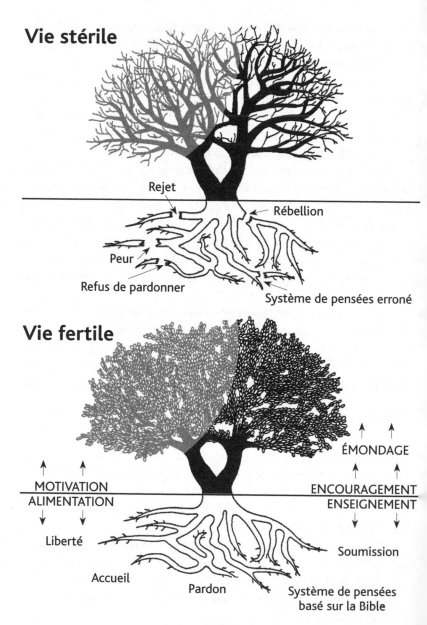

Colossiens 2:6-7
Figure 13-B

Les branches sont sèches et stériles parce que les racines sont défectueuses et qu'elles ne retirent aucune nourriture du sol.

Le premier but de la relation d'aide est d'amener le chrétien à identifier ce qui est à la racine de son insatisfaction. Pour ce faire, il est utile de déterminer quel besoin est insatisfait et comment il cherche à le satisfaire. Ses remarques vous donneront des indices sur ces besoins insatisfaits. S'il dit, par exemple : « Je ne me sens à l'aise nulle part ; personne ne m'aime », il a besoin de se sentir accepté. S'il dit : « Je suis nul ; je ne fais rien de bon », son besoin d'être valorisé n'est pas satisfait. S'il dit : « Je suis déprimé, ma vie est en pièces », il a besoin de sécurité et d'espoir. S'il dit : « Je ne peux rien faire de bon », il se sent incompétent. S'il dit : « Je ne peux pas m'arrêter », il a besoin de liberté.

Pour atteindre la racine du problème, vous avez besoin d'aider votre ami à réfléchir à plusieurs questions essentielles dans le cadre des cinq dimensions illustrées dans la figure 13-A. Les questions suivantes, qui ne sont certainement pas exhaustives, ne devraient pas être posées directement, car celui que vous conseillez n'en connaît peut-être pas la réponse. Mais ce sont des questions que vous devrez garder à l'esprit alors que vous parlez avec lui.

Dans le domaine émotionnel (qui est un point de départ parce que ce sont ses émotions négatives qui l'ont probablement conduit vers vous), essayez de discerner : Quand a-t-il commencé à ressentir ces choses ? Quels événements ont entouré cette expérience ? Comment a-t-il interprété ces événements ? Quels « objectifs » insatisfaits ses sentiments révèlent-ils ?

Du point de vue rationnel, restez attentif aux questions suivantes : Que croit-il au sujet de Dieu ? de lui-même ? du succès dans la vie ? La plupart des gens sont motivés par ce qu'ils croient être susceptible de leur apporter le succès, le bonheur, la valeur, etc. L'exercice de l'évaluation de la valeur personnelle présenté au chapitre 7 l'aidera à découvrir l'ensemble de ses croyances actuelles.

Au niveau de la volonté, essayez de découvrir : Comment réagit-il à l'autorité ? Se prend-il pour un « petit dieu » ? Si oui, de quelle manière ? Est-il soumis à l'autorité d'une église locale ? Sa volonté est-elle faible, est-il incapable de dire « non » ou de tenir ferme tout seul ? Croit-il être emporté par les événements de la vie ? Est-il indiscipliné ou impulsif ?

Dans ses relations : Quelles sont ses attentes de Dieu et des autres ? À qui a-t-il besoin de pardonner ? À qui doit-il demander pardon ? Quelles compétences lui manque-t-il dans ses relations ? A-t-il un groupe de soutien (famille, amis, église) ?

Spirituellement : Quelle est sa relation avec Dieu ? Sait-il comment marcher selon l'Esprit ? Est-il sensible à la direction du Saint-Esprit ? A-t-il un culte personnel qui comprend un temps de prière et d'étude de la Bible ?

Encouragez l'honnêteté émotionnelle

Généralement, les personnes conseillées partagent volontiers ce qui leur est arrivé, mais sont extrêmement réservées quand il s'agit de parler de leurs échecs ou de leur participation à un tel événement. Et elles refusent souvent catégoriquement de partager ce qu'elles y ont ressenti. À moins de pouvoir les encourager à faire preuve d'honnêteté émotionnelle, elles ont peu de chances de pouvoir résoudre leurs conflits intérieurs et d'être libérées de leur passé. On ne peut pas être en règle avec Dieu sans être honnête vis-à-vis de ses émotions.

Satan et ses démons ressemblent à des cafards.
Quand la lumière envahit leur territoire,
ils courent se cacher dans l'ombre.

Quand un chrétien étouffe ses émotions, quand il refuse de les mettre en lumière et de les partager honnêtement, il offre une occasion à Satan, le prince des ténèbres. Dieu fait tout en pleine lumière (1 Jean 1 : 5-7). Quand quelqu'un reconnaît honnêtement ce qu'il ressent dans l'espoir de résoudre ses conflits, il ouvre son être à la lumière de Dieu. Satan et ses démons ressemblent à des cafards. Quand la lumière envahit leur territoire, ils courent se cacher dans l'ombre. Si nous voulons être libérés du passé et vivre dans la liberté au présent, nous devons marcher dans la lumière. L'honnêteté émotionnelle fait fuir le diable.

Partagez la vérité

Quand des amis chrétiens viennent vous demander de l'aide, c'est généralement parce que la vie leur a asséné un coup dur qui leur fait penser qu'ils ne sont pas normaux. Leur perception de Dieu a été déformée ; ils pensent que Dieu ne peut certainement pas les aimer.

Quel privilège de partager avec eux la vérité de leur identité en Christ et de les aider à rectifier leurs idées erronées. Je garde toujours à portée de main dans mon bureau quelques copies des listes « Qui suis-je ? » (chapitre 2) et « Parce que je suis en Christ » (chapitre 3). Quand je parle à quelqu'un qui a une perception déformée de lui-même, je lui donne une de ces listes et je lui demande de la lire à haute voix. Les transformations que j'ai pu voir chez les gens sont incroyables : ils passent de la désillusion à la joie. Pourquoi ? Parce que, lorsque, dans l'amour, nous partageons avec quelqu'un qui il est en Christ, nous appliquons la vérité de la Parole de Dieu à la racine du problème, à savoir leur système de pensées erroné. Ce n'est que lorsqu'ils commencent à se baser sur la vérité de leur identité en Christ qu'ils peuvent résoudre les problèmes profonds liés à leur immaturité spirituelle, rationnelle, émotionnelle, volitive et relationnelle.

Attendez une réponse

Votre rôle dans la relation d'aide consiste à partager la vérité dans l'amour et à prier que celui que vous conseillez choisisse de l'accepter. Mais vous ne pouvez pas décider à sa place. La relation d'aide chrétienne dépend de la réponse par la foi de celui qui est conseillé. Notre Seigneur a dit à ceux qui recherchaient sa main guérissante : « Ta foi t'a sauvée » (Marc 5 : 34) ; « Qu'il te soit fait selon ta foi » (Matt. 8 : 13). Si ceux que vous conseillez ne répondent pas personnellement, vous ne pouvez pas faire grand-chose pour les aider.

La réponse principale que nous attendons est celle de la repentance, qui signifie un changement de la pensée. Celui qui est conseillé a besoin de changer d'avis sur ce qu'il croit au sujet de Dieu et de lui-même. Ce n'est que lorsqu'il modifiera sa pensée et ses croyances qu'il pourra changer sa manière de vivre.

Aidez-les à prévoir l'avenir

Un des moyens les plus importants pour aider quelqu'un à dépasser le conflit et le désespoir et avancer vers la croissance, la maturité et l'espoir consiste à l'aider à développer un groupe de soutien. Encouragez celui qui cherche conseil à dépendre des prières, de la communion fraternelle et de l'enseignement qu'il reçoit dans le cadre plein d'amour d'une famille, d'une église et d'un groupe d'amis proches.

Une autre contribution vitale que vous pouvez lui apporter et qui changera toutes ses perspectives d'avenir, consiste à l'aider à distinguer entre ce qui est *déjà possible* dans sa vie et ce qui *pourrait* l'être. La sanctification n'est pas instantanée ; c'est une progression. Les changements dans ce que l'on croit et dans ce que l'on vit prennent du temps. Les gens ont besoin de comprendre la différence importante entre les objectifs et les désirs, pour qu'ils n'essaient pas de changer des choses et des personnes qu'ils sont incapables ou qu'ils n'ont pas le droit de changer. Encouragez-les à aborder chaque journée de croissance avec l'attitude exprimée dans la prière bien connue : « Seigneur, donne-moi la sérénité d'accepter les choses que je ne peux pas changer, le courage de changer celles que je peux changer, et la sagesse de faire la distinction entre les deux ».

Nous sommes ce que nous sommes par la grâce de Dieu. Tout ce que nous avons et tout ce que nous pouvons espérer – tant le disciple que le maître, celui qui conseille et celui qui est conseillé – est basé sur notre identité en Christ. Que notre vie et notre ministère envers les autres soient modelés par notre amour pour lui et par notre conviction qu'il est le chemin, la vérité et la vie (Jean 14 : 6) ! Et que Dieu nous accorde à tous le privilège de voir des personnes libérées des ténèbres entrer dans la lumière de la maturité.

Table des matières

Notre croissance et notre épanouissement dépendent de l'idée que nous avons de nous-même et surtout de notre identité en Christ, en tant qu'enfant de Dieu.

Tant de chrétiens ne connaissent pas la maturité et la liberté qui leur reviennent grâce à leur héritage en Christ parce qu'ils… ne comprennent pas le changement radical qui s'est opéré au moment où ils ont placé leur confiance en lui.

Un comportement chrétien qui porte des fruits est le sous-produit d'une foi chrétienne solide.

Mes notes

Marcher dans la liberté

Neil T. Anderson et Rich Miller • **21 jours de méditations pour vous aider à affermir votre liberté en Christ**

Tout au long de ces 21 méditations, vous pourrez, chaque jour, vous engager personnellement à marcher à la lumière de Christ. Pour vous aider dans ce processus de libération, Neil Anderson vous invite à utiliser les «Sept étapes vers la liberté en Christ» incluses à la fin de ce livre. Elles constituent un inventaire moral et spirituel détaillé de tout ce qui nous freine dans notre marche avec Jésus. Elles permettent de nous débarrasser des «déchets» spirituels qui encombrent nos vies et de développer de saines habitudes. Il est possible de franchir ces sept étapes en complément de ces 21 jours de méditation.

208 pages • Réf. 2001 • 10,50 €

Au risque d'être heureux

John Piper • **Collection *Mini livre Maxi impact*** • **Fais de l'Éternel tes délices!**

Un chrétien peut-il faire du bonheur le but de sa vie? Oui, répond John Piper! Parce que Dieu nous a créés pour être heureux en Lui. C'est ce que l'auteur appelle «l'hédonisme chrétien». Terme controversé, et pourtant pleinement fidèle à l'injonction biblique: «Fais de l'Éternel tes délices». Notre raison d'exister est de glorifier Dieu en trouvant en lui notre bonheur éternel. Quand Dieu devient ainsi notre trésor, la source de notre entière satisfaction, il est pleinement honoré! Plus notre satisfaction en Dieu est grande, plus il est glorifié en nous.

112 pages • Réf. 2153 • 8,50 €

Mon chemin du Calvaire

Roy Hession • Collection *Réveil Aujourd'hui*
Biographie sans complaisance d'un évangéliste
poussé à vivre le réveil qu'il prêche

«Les ressources de la vie chrétienne ne sont
ni la prière, ni l'étude de la Bible, ni le partage,
ni l'adoration, ni le service, mais le Seigneur
Jésus-Christ Lui-même» (p. 40).

L'évangéliste raconte ses brisements
successifs pour laisser la grâce de Jésus
agir seule. Aucune recette facile ne vainc la misère spirituelle :
«Le Réveil, c'est Jésus !» Vous retrouverez en Roy Hession vos
doutes, votre recherche de la volonté de Dieu ou vos chutes par
excès de zèle, la nécessité du pardon dans le couple, et l'absolu
besoin d'une obéissance intègre pour servir Christ. Son chemin
du calvaire conduit ses retrouvailles avec Jésus. Certains livres
enthousiasment, celui-ci devrait vous bouleverser !

220 pages • Réf. 1969 • 7,50 €

Non ! à l'inquiétude

John MacArthur • **Vivez la paix qui**
surpasse toute intelligence

La vie nous offre tant de sujets d'inquiétude,
chrétiens ou non. Et lorsque survient
l'angoisse, nous aimerions la surmonter
et connaître « la paix qui surpasse toute
intelligence ». Mais comment y arriver, dans la
réalité de la vie quotidienne ?

Plutôt que de nous donner des techniques
superficielles, John MacArthur nous invite à
examiner les Écritures, pour y trouver le réconfort et la victoire. En
étudiant des passages tels que Matthieu 6:25-34, Philippiens 4:6-9 et
1 Pierre 5:5-7, il nous montre que Dieu se préoccupe de nos sujets
d'inquiétude et nous offre les ressources pour les surmonter dans
le calme... et de manière efficace. Un livre bienfaisant.

192 pages • Réf. 1841 • 15 €

Retrouvez notre catalogue complet
sur **www.blfeurope.com**

BLF Europe • **Rue de Maubeuge** • **59164 Marpent** • **France**
Téléphone : (+33) (0) 3 27 67 19 15 • Fax : (+33) (0) 3 27 67 11 04
info@blfeurope.com • www.blfeurope.com